Il mio TUTT ESERCIZI

Incolla la tua foto

Nome ....

Cognome ....

Classe ....

Con me... Zac!
Alleni la tua mente
e impari facilmente!

Italiano 5

G GIUNTI Scuola

Gn-ni / Gl-li

1 Completa con gn o con ni.

ge......o	stra......ero	le......ame	giardi......ere
pia......ucolare	si......ificato	giu......o	casta......eto
allumi......o	cri......era	sma......oso	se......ale
go......ometro	carabi......ere	colo......a	co......ugare
co......ato	o......uno	compa......o	......ente

2 Completa seguendo le indicazioni.

- Scrivi tre nomi che contengono gna ....
- Scrivi l'unico nome che contiene gnia ....

3 Coniuga i verbi alla prima persona plurale nei modi e tempi indicati.

Infinito	Indicativo presente	Congiuntivo presente
Insegnare	....	....
Regnare	....	....
Accompagnare	....	....

4 Completa con gli o con li.

germo......o	rita......o	cava......ere	al......etare
petro......o	sol......evo	mi......one	cavi......a
baga......o	o......era	ta......uzzare	portafo......o
mani......a	pa......o	batta......a	mobi......a
ve......ero	sbadi......o	vigi......a	padi......one

5 Inserisci le seguenti parole in tabella come nell'esempio.

globo • ciglio • gladiolo • glassa • maniglia • sigla
artiglio • glutine • inglese • consiglio • giungla • foglio

Suono dolce	Suono duro
ciglio,	globo,
....	....
....	....
....	....

il CONSIGLIO

Per aiutarti, pronuncia ad alta voce tutte le parole:

globo → suono duro
ciglio → suono dolce

Cu-qu / Cq-qq-cc

1 Completa con cu o con qu.

s......ola   a......leo   in......dine

......nicolo   ......ando   obli......o

cir......ito   dis......tere   cias......no

collo......io   e......estre   ......estione

s......illare   ......esto   in......ieto

do......mento   s......ocere   s......ame

s......adra   mis......glio   si......ro

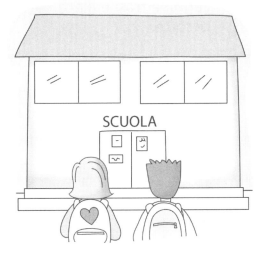

2 In ogni coppia di parole sottolinea quella corretta. Poi scrivi una frase.

- sciacquare / sciaccuare   ....
- soccuadro / soqquadro   ....
- acquazzone / aqquazzone   ....
- annaccuare / annacquare   ....
- taccuino / tacquino   ....
- accuamarina / acquamarina   ....
- acquirente / accuirente   ....

3 Per ogni verbo scrivi la prima persona singolare del passato remoto.

- tacere → io ....
- nuocere → io ....
- piacere → io ....
- nascere → io ....
- giacere → io ....

4 Scrivi l'infinito di queste forme verbali.

- Io ho percosso ....
- Egli ha cotto ....
- Noi abbiamo evacuato ....
- Tu hai circuito ....
- Essi hanno rincuorato ....
- Voi riscuoterete ....

5 Collega ogni aggettivo alla sua definizione.

proficuo	considerevole, notevole
cospicuo	vuoto, inespressivo
vacuo	vantaggioso

6 Utilizza gli aggettivi dell'esercizio 5 e completa le frasi correttamente.

- Ho ricevuto una .... somma di denaro.
- Quella signora aveva uno sguardo

  ....

- Sono contento: abbiamo avuto un

  incontro ....

3

L'accento

1 Leggi le frasi e metti l'accento dove occorre.

- La tribu dei Tuareg vive nel deserto del Sahara.
- Quest'anno la siccita ha rovinato il raccolto.
- L'onesta e la sincerita sono le sue doti migliori.
- Incontrero il vicere giovedi ventitre gennaio.
- Chissa se Giovanna comprera degli sci nuovi.

2 Scrivi i nomi corrispondenti a questi aggettivi.

fragile ....

agile ....

crudele ....

pari ....

leale ....

MEMO

I monosillabi formati da una sola vocale **non vogliono** l'accento.
Fanno eccezione i monosillabi che cambiano significato quando hanno l'accento:
da/dà, **e**/è, **la**/là, **li**/lì, **ne**/né, **se**/sé, **si**/sì, **te**/tè.

I monosillabi che terminano con due vocali **vogliono** l'accento:
ciò, già, giù, più, può...
Eccezioni: qui, qua.

3 Sottolinea i monosillabi correttamente accentati e cerchia quelli sbagliati.

- Giù sotto il ponte scorre un torrente blù.
- Vieni quà a prendere lo zaino.
- Sono già le undici, vado a letto.
- Alle sei vengo da tè, prendiamo il tè.
- Sì, le pile le ho messe qui.

- L'altra sera egli fù molto gentile.
- Il rè non ne può più di quei ministri!
- Il cappotto non mi stà, lo appoggio lì.
- Sono spiacente ma devo dirti di nò.
- Sono sù in mansarda, sali!

4 Scrivi una breve frase con ognuno dei seguenti monosillabi.

- da (preposizione) ....
- dà (verbo) ....
- la (articolo) ....
- là (avverbio) ....
- ne (pronome) ....
- né (negazione) ....

il CONSIGLIO

Fai attenzione: tra parentesi è indicata la funzione di ogni monosillabo.

5 Sul quaderno scrivi sei frasi: tre con monosillabi accentati e tre con monosillabi non accentati.

6 Pronuncia a voce alta le parole e per ciascuna scrivi una frase sul quaderno.

- capitàno/càpitano
- rùbino/rubìno

- bàlia/balìa
- prìncipi/princìpi

L'apostrofo

MEMO

- la anfora → l'anfora
- di occasione → d'occasione
- dallo albero → dall'albero
- nessuna amica → nessun'amica

1 Completa con l'articolo giusto.

lo / la / l'

...... emozione	...... fiducia
...... unghia	...... scriba
...... asola	...... onta
...... inganno	...... zenzero
...... affetto	...... angelo
...... zerbino	...... biancheria

un / un'

...... immagine	...... interesse
...... estranea	...... ostello
...... orchidea	...... tema
...... usanza	...... eco
...... imbarcazione	...... uomo
...... naufrago	...... adunanza

2 Riscrivi queste espressioni usando l'apostrofo, poi scegline sei e con ciascuna scrivi una frase sul quaderno.

- questa estate ....
- mezza ora ....
- quella armatura ....
- buona idea ....
- niente altro ....
- nessuna ira ....
- anche egli ....
- dove è ....
- alla una ....

- allo inizio ....
- alcuna assistenza ....
- anche io ....
- dallo oculista ....
- tutto al più ....
- bello aspetto ....
- ci entra ....
- lo altro anno ....
- questo uomo ....

3 In ogni frase sottolinea gli errori e scrivi accanto la forma corretta. Osserva l'esempio.

- Come <u>di accordo</u> ci sentiamo tra <u>una ora</u>.   *d'accordo, un'ora*
- Allarrivo della nave i turisti salutarono dal ponte. ....
- La lettura è a pagina due dello indice. ....
- Lascia lastuccio sul banco; non è tuo! ....
- Perché devo già pranzare? È soltanto luna! ....
- Io non centro con quello episodio spiacevole! ....
- Dora in poi prenderò il treno; passa sempre allora esatta! ....
- Allo improvviso è iniziato a piovere. ....

Il troncamento

MEMO

- bello discorso → bel discorso
- quale è? → qual è?
- ciascuno, alcuno, nessuno amico → ciascun amico
- dottore, signore... Bianchi → dottor Bianchi

1 Sottolinea le parole che vogliono il troncamento e riscrivi. Segui l'esempio.

✏️ Avete fatto un <u>bello lavoro</u>. **bel lavoro**

- Nessuno indizio era contro di lui. ....
- Il signore Rossi è nel suo ufficio. ....
- Quale è la promessa che mi hai fatto? ....
- Il vento non ha abbattuto nessuno albero. ....
- Sulla barca avevo il male di mare. ....
- Ti presento il dottore Guidi. ....
- Quella sciarpa sarà di qualcuno altro. ....

2 Completa le frasi: tronca le parole tra parentesi.

- (Vai) .... subito dalla mamma che ti chiama.
- Quella signora è di (grande) .... cuore.
- (Quale) .... è la tua torta preferita?
- (Nessuno) .... altro personaggio è pigro come Paperino.
- Adesso (dai) .... una mano a riordinare!

MEMO

In alcuni casi il troncamento è segnalato dall'apostrofo:

- i verbi all'imperativo:
  vai (tu) → va'   fai (tu) → fa'
  dici (tu) → di'   stai (tu) → sta'
  dai (tu) → da'
- poco → po'

3 Sul quaderno scrivi una frase con ognuna delle seguenti parole.

fa' • sta' • di' • po' • buon • nessun • gran

4 Correggi l'errore e sottolinea di rosso i troncamenti che non vogliono l'apostrofo e di blu quelli che lo vogliono. Segui l'esempio.

✏️ Auguro un <u>buono onomastico</u> al mio papà! **buon onomastico**

- Vengo anche io al mare con te e la mamma. ....
- Quello articolo sulla atmosfera era interessante ....
- Ciascuno alunno è seduto al proprio posto. ....
- Dai un po d'acqua a quella azalea, sta seccando! ....

Ce-c'è / Se-s'è / Me-m'è
Ne-N'è / Te-t'è

MEMO

ci è = c'è	ne è = n'è	si è = s'è	mi è = m'è	ti è = t'è
ci era = c'era	ne era = n'era	si era = s'era	mi era = m'era	ti era = t'era

1 Completa con ce-c'è/se-s'è/me-m'è.

- Lui la pensa come ....
- Non .... più aranciata? Forse .... ne volevano due bottiglie.
- Ho visto in una fotografia che Arianna .... tinta i capelli.
- .... vuoi ti compro l'ultimo numero del fumetto.
- .... una torta sul tavolo; per favore, ... ne lasciate un pezzettino?
- Quel rimprovero .... bastato!
- Che cosa .... da ridere? Non .... la dai a bere!
- Oggi .... il compito di matematica. .... ne ero dimenticata!

2 Completa con ne-n'è/nera-n'era.

- Carlo mi ha raccontato un brutto fatto, penso che .... dobbiamo discutere.
- Era calata la nebbia ma Caterina non se .... preoccupata.
- Questa volta .... ho abbastanza delle tue scuse, questa maglia è diventata ....!
- L'allenatore aveva formato la squadra, ma Andrej non .... sapeva nulla.
- Te .... sarò sempre grato!
- Vorrei un gelato al pistacchio, ce .... ancora o non ce .... più?
- L'altroieri ce .... di tempo per riparare la tua bicicletta!

3 Completa con sera o s'era.

Quella .... il fornaio .... dimenticato di mettere il lievito nell'impasto e solo la mattina seguente .... accorto dell'errore! Di corsa andò dalla moglie e il problema della .... prima si risolse in fretta: era giorno di chiusura!

4 Completa con te/t'è/tè.

- .... lo prometto, sarò puntuale.
- Come .... successo questo inconveniente?
- Non .... ne andare ora!
- Hanno già servito il ....?
- Anche stavolta .... andata bene!

5 Completa con se/s'è/sé.

- .... fatto tardi, non so .... chiamare un taxi.
- Andrea voleva tutto per ...., così .... inventato quella storia.
- Il papà rifletteva tra .... e .... fosse il caso di uscire.

L'H nel verbo avere

1 Completa nel modo corretto le frasi.

ho / o

- .... una collezione di francobolli rari.
- Non so se telefonarle .... scriverle, forse .... le idee confuse.
- A scuola .... dipinto un cartellone.
- Non .... capito bene il tuo problema, è una cosa seria .... no?
- Per fortuna .... finito tutti i compiti. Ora esco .... ascolto la musica?
- Ieri sera .... mangiato una pizza, ... bevuto una bibita e .... visto la partita.
- .... pensato di fare un viaggio in Francia .... in Spagna.

ha / a

- Shonali .... sonno e tra poco andrà .... letto.
- .... Pasqua Martina .... mangiato un uovo di cioccolata.
- Valerio .... vinto un concorso di poesia e giornalismo.
- .... dire il vero, non mi aspettavo questa vittoria.
- Mi aiuti .... riordinare la camera?
- La mia mamma .... una sorella gemella.
- Angela .... preso il raffreddore. Mi accompagni .... trovarla?

il CONSIGLIO

Se hai dubbi sull'uso dell'h di avere, prova a dire la frase con avevo, avevi…
La mamma ha freddo.
La mamma aveva freddo.

hai / ai

- .... letto la lettera .... compagni?
- .... tante idee, ma non riesci a realizzarle.
- Da domani cercherò di ubbidire .... miei genitori.
- Ho sentito che .... detto .... nonni che domani li chiamerai.
- È questo il libro di cui mi .... parlato?
- Mi .... convinto, ti porterò .... giardini con Mattia.

hanno / anno

- Mi .... chiamato alcuni amici americani e mi .... salutato.
- Vi .... dato una bella notizia!
- Le tartarughe .... un guscio che le protegge; una volta all'............ fanno le uova.
- Quei bambini .... del talento, tra un .... potranno iscriversi da noi.
- Come ogni .... i bambini .... preparato la festa di Halloween.

2 Sottolinea la forma corretta.

- Questo **anno/hanno** gli zii **anno/hanno** cambiato casa.
- Alla TV **hanno/anno** detto che quest'**anno/hanno** pioverà molto.
- Dove **anno/hanno** nascosto lo zaino?

3 Scrivi sul quaderno una frase con ciascuna delle seguenti parole.

ho (verbo avere)   o (congiunzione)

ha (verbo avere)   a (prep. semplice)

hai (verbo avere)   ai (prep. articolata)

hanno (verbo avere)   anno (nome)

Pronomi accoppiati, apostrofo e H (1)

ORTOGRAFIA

MEMO

mi, ti, ci, vi + lo e la	→ me lo / me la, te lo / te la, ce lo / ce la, ve lo / ve la
me l'ha	→ me lo ha, me la ha
me l'hai	→ me lo hai, me la hai
me l'hanno	→ me lo hanno, me la hanno

1 Completa con melo, me lo, mela, me la, me l'ha.

- Che bel borsone! .... presti?
- Questa .... matura .... regalata il fruttivendolo Ernesto.
- Ho finito lo zucchero. .... prendi al supermercato?
- Quei due sono seduti all'ombra del ....
- Che bella storia! .... racconti di nuovo?
- Ieri eri malato? .... detto Simone.

2 Completa con telo, te lo, te l'ho, tela, te la, te l'ha.

- .... detto e .... ripeto: sarò bravo!
- Ho un'auto telecomandata, ... lascio guidare nel piazzale.
- Susanna ha steso il .... sulla sabbia.
- .... chiesto ieri ma non mi hai ancora risposto.
- Mi piace dipingere su ....
- Chi .... raccontato?
- Telefono a Martina, ... passo?

3 Sottolinea la forma giusta.

- **Telo/Te lo/Te l'ho** detto: quel **telo/te lo/te l'ho** serve per il tavolo del giardino.
- **Telo/Te lo/Te l'ho** presto volentieri, però prometti che **melo/me lo/me l'ho** riporterai domani.

4 Scrivi una frase con:

- me lo ....
- me la ....
- me l'ha ....
- me l'hanno ....
- te lo ....
- te la ....
- te l'ho ....
- te l'ha ....
- te l'hanno ....

9

Pronomi accoppiati, apostrofo e H (2)

1 Completa la tabella come nell'esempio.

	Tempo presente	Tempo passato prossimo
Tu lo scrivi a me.	Tu me lo scrivi.	Tu me l'hai scritto.
Io lo dico a voi.		
Loro la raccontano a voi.		
Loro lo prestano a me.		
Io lo spiego a te.		
Loro la portano a me.		
Egli lo regala a te.		
Tu lo leggi a me.		

2 Completa con velo, ve lo, ve l'ho, vela, ve la, ve l'ha.

- Se la torta vi è piaciuta, ... rifaccio domenica.
- Mia sorella indossava un .... color avorio.
- La .... della barca si è lacerata.
- .... ricordo: fate attenzione!

- .... detto che Gigi è caduto mentre sciava?
- Attenti a quel cane, ... raccomandato più volte!
- Se avete bisogno di un pallone nuovo, ... compro io.

3 Scrivi una frase con:

- ve lo   ....
- ve la   ....
- ve l'ho ....
- ve l'ha ....

4 Completa la storia con ce lo, ce l'ho, ce la, ce l'ha.

Nonna Ada gioca a tombola con i nipoti e dice: «Numero 10. Chi .... ?»

«................... Sara» risponde un bambino. «No, non ...., peccato!» replica Sara.

«Nonna, ma che numero è uscito? .... ripeti?» domanda Alessio.

«................... fate ad ascoltarmi con attenzione? Ho detto 10!»

«................... io! Evviva!» esclama Alessio.

Pronomi accoppiati, apostrofo e H (3)

MEMO

gli + lo → glielo	gli + la → gliela

gliel'ho	→ glielo ho, gliela ha
gliel'hai	→ glielo hai, gliela hai
gliel'ha	→ glielo ha, gliela ha
gliel'hanno	→ glielo hanno, gliela hanno

1 Completa la tabella, come nell'esempio.

	Tempo presente	Tempo passato prossimo
Io lo aggiusto a lui.	Io glielo aggiusto.	Io gliel'ho aggiustato.
Tu chiedi a lei.		
Loro scrivono un articolo a lui.		
Lui lo dice a lei.		
Io offro il tè a loro.		
La zia ricorda la borsa a lei.		
Loro regalano un libro a lei.		

2 Completa con glielo, gliela, gliel'ho, gliel'ha, gliel'hanno.

- È nuovo il cellulare di Giulia? Sì, ... regalato i suoi amici.
- Le hai mandato l'invito? No, ... manderò domani.
- Hai portato il vassoio al cuoco? Sì, ... dato un minuto fa.
- Hai scritto la lista della spesa alla nonna? No, ... scrivo subito.
- Chi gli ha prestato quella camicia? .... prestata un compagno.
- Hai preso la penna di Sam? Sì, ... restituisco subito.
- Sai dov'è lo zaino di Lia? No, ... nascosto i suoi compagni.

3 Sottolinea la forma giusta.

– **Glielai / Gliel'hai** detto tu di prendere il treno delle cinque?

– Sì, **glielo / gliel'ho** detto stamani e **gliela / gliel'ha** ripetuto anche suo cugino.

– Se perde il treno non **glielo / glie'ho** perdono!

4 Scrivi sul quaderno una frase con gliel'ho e una con gliel'ha.

1 Completa con gn o ni.

- È stato costruito da un famoso inge.........ere.
- In quel negozio hanno dei prezzi assai conve.........enti.
- Non ricordo mai il tuo co.........ome.
- Il giardi.........ere della scuola ha piantato un nuovo albero.

2 Per ogni nome scrivi un derivato che contenga il suono li.

Italia italiano ....

- gioco ....
- gioiello ....
- famiglia ....
- petrolio ....

3 Scrivi sul quaderno una frase con ciascuno dei seguenti verbi.

nacquero • tacquero • piacquero

4 Nelle seguenti parole elimina la vocale e metti l'apostrofo dove serve.

di accordo	anche esso	bravo uomo
di oro	questa estate	nessuno amico
mezzo etto	alla incirca	di annata
quale è	bello uomo	santo Antonio

5 Leggi la storia e metti l'accento dove serve.

Lo scorso mese Tai ando a fare una visita al Museo delle Cere con la scuola. Il viaggio fu lungo e il bambino aveva con se una gustosa merenda: panini, te freddo e cioccolata. Quando entro nel museo, lo investi un profumo dolciastro di cera che gli rimase nelle narici finche non usci da li. Comunque il museo gli apparve interessante e penso: «Se riesco a casa faro un faro con la cera!». Infatti cosi fece e la mattina seguente mostro ai compagni il suo piccolo capolavoro fatto tutto da se.

6 Sottolinea la forma corretta.

- Da tempo non se **nera/n'era** più parlato.
- La **sera/s'era** Giulio **sera/s'era** addormentato.
- La tua moto **la provata/l'ha provata** Andrea.
- Silvia la pensa come **me/m'è** e **lo/l'ho** chiamata.
- Lo vuoi? **Cene è/ce n'è** rimasto uno!
- Che cosa **te/t'è** successo?
- Che cosa **te ne/te n'è** importa del mio amico?
- I professori **l'anno/l'hanno** promosso!

7 Scegli con una X la frase corretta.

- ☐ Va da lui, il signor Stefano è un buon'amico e ti venderà un bello cane.
- ☐ Va' da lui, il signor Stefano è un buon amico e ti venderà un bel cane.
- ☐ Va' da lui, il signor Stefano è un buon'amico e ti consiglierà bene.

8 Scegli la forma corretta e completa le frasi.

- (**Velo/Ve l'ho**) .... descritto nei particolari.
- La lettera è arrivata. (**Ce la/Ce l'ha**) .... inviata il Ministero.
- Quanto dobbiamo pagare? (**Glielai/Gliel'hai**) .... chiesto?
- Non (**ce la/ce l'ha**) .... fai? Vai a farti un pisolino!
- Quei due (**me l'anno/me l'hanno**) .... combinata bella!
- Non (**ve lo/velo**) .... posso raccontare.
- Questa prenotazione (**gliela/glie'ha**) .... confermo io.
- Conosci la storia di Harry Potter? (**Me la/Me l'ha**) .... racconti?
- Che bel successo! (**Ce lo/ce l'ho**) .... siamo proprio meritato.
- Ho mangiato un'insalata con la (**mela/me la**) ....
- Prendi il (**telo/te lo**) ...., non (**telo/te lo**) .... scordare!

9 Trasforma le frasi come nell'esempio.

🖉 **Hai preso questo pacco a lei.** → Gliel'hai preso ....

- Ha letto il libro a lei. → ....
- Hanno regalato il pallone a Igor. → ....
- Ho ripetuto il numero a lui. → ....
- Ha raccontato la storia a lui. → ....
- Ha detto una bugia a lei. → ....
- Hai aperto il barattolo a lui. → ....

10 Scrivi una frase con:

- glielo ....
- gliela ....
- gliel'ho ....
- gliel'ha ....

11 In ogni gruppo collega le parole della prima colonna con il termine adatto della seconda colonna. Poi scegli una coppia e scrivi una frase sul quaderno.

velo	chiesto		tela	manda
te l'ho	trasparente		te l'ha	dipinta
ve lo	porto		te la	domandato

13

Discorso diretto e indiretto

1 Riscrivi le frasi sul quaderno nella forma corretta.
Scegli se inserire i due punti (:), le virgolette ("..." «...»)
oppure le lineette (–). Segui gli esempi.

CONSIGLIO

Usa la lettera maiuscola quando inizia il discorso diretto.

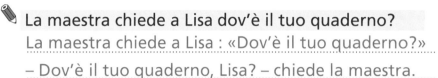

La maestra chiede a Lisa dov'è il tuo quaderno?
La maestra chiede a Lisa : «Dov'è il tuo quaderno?»

– Dov'è il tuo quaderno, Lisa? – chiede la maestra.

- Lo zio risponde no, domani non verrò a cena.
- Pietro esclamò abbiamo vinto la partita!
- Il dottore dice devi stare a letto per tre giorni.

2 Trasforma il discorso diretto in discorso indiretto. Elimina i segni
di punteggiatura, introduci con di, se, che e fai
gli altri cambiamenti. Segui l'esempio.

La mamma aveva raccomandato a Paolo: – Studia le pagine di Scienze.
La mamma aveva raccomandato a Paolo di studiare le pagine di Scienze.

- Il bambino insiste: – Non mi piace questa minestra!
- Lui si informò: – Hai visto il telegiornale?
- – Devo comprare una cassetta di arance. – dice la zia.
- La mamma propone: – Andiamo a fare una passeggiata sul lungomare?

3 Trasforma i discorsi indiretti in discorsi diretti.

- Giovanni ha chiesto all'usciere dov'è la sala riunioni.

....

- Il nipotino promise alla nonna di chiamarla tutti i giorni.

....

- Filippo mi ha proposto di andare a pattinare oggi e io gli ho confermato
che ci saremmo visti alle tre.

....

....

4 Inventa e scrivi sul quaderno un dialogo tra due amici. Utilizza alcuni sinonimi
del verbo dire, scegli tra:

chiedere • rispondere • suggerire • obiettare • esortare • annuire • concludere

La punteggiatura (1)

1 In ogni frase scrivi qual è la funzione della virgola (o delle virgole). Scegli fra:
- separa due frasi;
- separa le parole di un elenco;
- racchiude un inciso (cioè un'informazione che può essere separata dal resto del discorso).

✎ **Il papà dipingeva le pareti della cucina, la mamma ricopriva i mobili.**
separa due frasi

- Marta ha letto le fiabe di Biancaneve, Cenerentola, Pollicino e altri ancora.

....

- Mia portava il borsone da mare, Leo la seguiva con le sdraio e l'ombrellone.

....

- Vittoria, che è una bambina giudiziosa, ha riordinato la sua stanza.

....

2 Sottolinea l'inciso e racchiudilo tra due virgole. Osserva l'esempio.

✎ **Ieri pomeriggio, <u>dopo aver finito i compiti,</u> sono andata al parco.**

- Il pilota nonostante il forte vento riuscì a fare un atterraggio perfetto.
- Leo telefona a Gianni il suo migliore amico per invitarlo alla sua festa di compleanno.
- Oggi Chiara poiché ha un po' di febbre non può andare agli allenamenti.
- Al mattino appena mi sveglio mi piace bere una tazza di latte.

3 Inserisci la virgola al posto giusto per separare le due frasi. Osserva l'esempio.

✎ **Il nonno ci vedeva poco, ma non si metteva mai gli occhiali.**

- Ho già mangiato due fette di pizza però ho ancora fame e ne vorrei un'altra.
- Siccome hai macchiato gli abiti di fango devi fare subito un bucato.
- Oggi non è suonata la sveglia perciò ho fatto tardi a scuola.
- Dopo aver preparato gli ingredienti il papà ha iniziato a fare la pizza.

4 Leggi e ricopia le frasi sul quaderno inserendo correttamente i due punti o il punto e virgola.

- Per dipingere sulla stoffa, i colori da usare sono quelli acrilici li potete acquistare alla cartoleria davanti alla scuola.
- Mia cugina ha ricevuto dei bellissimi regali un computer, un orologio e una borsa.
- I giocatori sono divisi in due squadre di quattro giocatori ciascuna a ogni giocatore spettano due lanci.
- Elena chiese a Laura – Andiamo a fare la spesa?

La punteggiatura (2)

1 Inserisci i punti di sospensione (...) e concludi le frasi in modo adatto.
Ricorda di mettere la lettera minuscola dopo i punti di sospensione.

- Mi avvicinai a quell'armadio da dove provenivano strane risate, lo aprii e ....
....

- I sette nani rimasero impietriti dalla meraviglia ....
....

2 Ricopia il brano e inserisci un segno
di punteggiatura (.) (,) (?) (!) (–)
al posto di ogni barra (/).

il CONSIGLIO

Devi usare una volta ?
e due volte !. Ci sono
quattro discorsi diretti.
Dopo il punto, ricorda
di mettere la maiuscola!

Martino su Marte

L'atterraggio alla fine fu abbastanza sballottolante /
anche se gli ammortizzatori
dell'Astropanda fecero bene la loro parte /
/ adesso posso andare all'aria aperta / / chiese Martino /
/ direi di no / rispose lo zio / / sulla Luna non c'è aria
o comunque non ce n'è quanta ne serve a noi esseri umani / /
e lo disse infilandosi dentro una tuta
con una grossa chiusura lampo ermetica /
/ dài / vestiti anche tu / / esclamò lo zio /
i problemi erano i soliti / l'aria / la pressione e / in più / il superfreddo /
quindi la tuta era scomoda / ma necessaria /
un salto e giù dall'Astropanda ed ecco Martino
e lo zio a zonzo sulla Luna / che emozione /

U. Guidoni, A. Valente, *Martino su Marte*, Editoriale Scienza

....
....
....
....
....
....
....
....
....
....
....

1 Leggi a voce alta con intonazione e cerchia tutti i segni di punteggiatura.

L'intervallo è una vera noia per me, non vedo l'ora che finisca. I maschi si mettono subito a fare la lotta, oppure giocano a calcio. Le femmine invece stanno a farsi scherzi sciocchi o a criticare questa o quella. Figuriamoci che bel divertimento!
L'unica un po' diversa è la Franci. Peccato che sia tanto timida: parla poco, sta sempre in un cantuccio, come se avesse paura di qualcosa. Per questo nessuno sa quanto è in gamba, quanto può essere simpatica e divertente, proprio una grande amica. Anche alla Franci non piace l'intervallo, ma per un altro motivo: lei non sopporta la confusione. Io lo so e cerco sempre di distrarla.
– Ehi, Franci – dico – ce l'hai la merenda?
– No!
– Ne vuoi un po' della mia?
Senza aspettare la risposta, le offro metà del mio panino e intanto esco con lei nel cortile, tenendole un braccio sulla spalla.

Anna Lavatelli, *Paola non è matta*, Piemme, Il Battello a Vapore

2 Ricopia il brano e inserisci i segni di punteggiatura.

Il lupo e la capretta

Una capretta si era allontanata dal resto del gregge d'un tratto si accorse che un lupo la stava seguendo si voltò e disse lo so che stai pensando di mangiarmi in un solo boccone ma se devo morire ti prego lasciami esprimere un ultimo desiderio mi suoneresti il flauto così che io possa danzare un poco mentre il lupo suonava e la capretta danzava alcuni cani sentirono la musica e presero a rincorrere il lupo il lupo correndo a perdifiato per scappare si voltò un momento per dire alla capretta mi sta bene ho voluto fare il musicista quando non sono che un macellaio

Favole di Esopo, Einaudi Ragazzi

il CONSIGLIO

Leggi a voce alta: l'intonazione ti aiuta a capire quali segni di punteggiatura usare.

Gli articoli

MEMO

	Articoli determinativi		Articoli indeterminativi		Articoli partitivi	
	singolare	plurale	singolare	plurale	singolare	plurale
maschile	il, lo, l'	i, gli	un, uno	–	del, dello	dei, degli
femminile	la, l'	le	una, un'	–	della	delle

1 Completa con gli articoli determinativi, indeterminativi e partitivi.

In .... angolo della mia camera tengo ....
scatola dove ripongo .... piccole cose. Ci sono
.... mollettine normali per capelli e ....
mollettine dorate molto speciali! Nella scatola
metto anche .... batuffoli di cotone, ...
spazzolino da viaggio, ... acqua di colonia
e .... fazzolettini profumati che mi regala
sempre .... mamma.

2 Completa con gli articoli partitivi.

- Vorrei .... pasta fresca.
- Al supermercato ho comprato .... piatti di plastica e .... forchettine.
- Giulia esce con .... amici.
- È avanzato .... risotto?
- Ti andrebbe .... stracchino sul pane?

3 Sottolinea di rosso gli articoli determinativi, di blu gli articoli indeterminativi e di verde gli articoli partitivi.

- Il re inviò degli ambasciatori per annunciare il suo arrivo.
- L'altro giorno sono venuti a cercarti degli amici di scuola.
- I miei nonni hanno trascorso una magnifica giornata in uno chalet di montagna.
- Stamattina ho raccolto delle rose per la mia mamma e le ho messe in un cesto.
- A mio fratello servono delle risme di carta, un nuovo album da disegno e la colla.

4 Sottolinea di verde gli articoli partitivi e di giallo le preposizioni articolate.

- Ho preparato delle tartine per gli ospiti.
- Nella libreria dei nonni ci sono dei volumi rari.
- Degli attori famosi hanno girato uno spot del caffè.
- Alla mostra dei fiori ho comprato delle camelie.
- Mio figlio ha preso dei bei voti!
- La sarta del negozio ha cucito degli orli ai jeans.

5 Volgi al plurale, poi sul quaderno scrivi una frase con ogni espressione.

- un cane → ....
- un atleta → ....
- un'ombra → ....
- un seme → ....
- un amico → ....

Il nome: genere e numero

1 Volgi i nomi al maschile o al femminile.

Maschile	Femminile
....	madrina
fratello	....
maschio	....
....	donna
padre	....
....	nuora
....	moglie
eroe	....

2 Colora di blu i nomi maschili e di verde quelli femminili.

papà   valigia   recluta

pigiama   elica   clima

ciliegia   profeta   fossile

traditore   siepe   vernice

bottone   guardia   idrante

3 Cerchia i nomi di animali che hanno un solo genere e che si distinguono aggiungendo "maschio" o "femmina".

gabbiano • volpe • cavallo • pantera • serpente cane • coniglio • elefante • puma • ghiro

MEMO

Alcuni nomi hanno la stessa forma sia al maschile sia al femminile:
un **collega** / una **collega**
canguro maschio / **canguro** femmina

4 Scrivi nel riquadro se il nome sottolineato è di genere maschile M o femminile F e cerchia le parole della frase che ti hanno permesso di individuare il genere.

☐ Quel dentista è giovane e simpatico.

☐ La giornalista ha scritto un bell'articolo.

☐ La nostra insegnante è molto severa.

☐ Il preside della scuola è mio zio.

5 Volgi i nomi al plurale.

Singolare	Plurale	Singolare	Plurale
strategia	....	paio	....
medico	....	augurio	....
abaco	....	ottico	....
uovo	....	monaco	....
addio	....	mano	....
corteccia	....	migliaio	....

Nomi difettivi, sovrabbondanti e invariabili

Nomi difettivi	Nomi sovrabbondanti	Nomi invariabili
Hanno solo il singolare: il pepe o il plurale: gli occhiali	Al plurale hanno una forma maschile e una femminile con significati diversi: il braccio → i bracci, le braccia	Hanno la stessa forma al singolare e al plurale: il re → i re…

1 Sottolinea di rosso i nomi che hanno solo il singolare (difettivi del plurale) e di blu quelli che hanno solo il plurale (difettivi del singolare).

arma • burro • nozze • giardino • sale • Natale • matita • pantaloni

ferie • congratulazioni • coraggio • focaccia • fragole • fauci • buio • pepe

forbici • stoviglie • latte • viveri • sentiero • grandine • manette • fame

2 Scegli tre nomi difettivi del singolare e tre del plurale dell'esercizio 1, poi con ciascun nome scrivi una frase sul quaderno.

3 Leggi con attenzione e sottolinea il nome corretto.

- Nel bosco si sentono **i gridi/le grida** degli uccelli.
- L'imbianchino ha dipinto **i muri/le mura** di casa.
- Giovanni è alto e ha **i bracci/le braccia** lunghe.
- Il gatto fa **i fusi/le fusa**.
- Dobbiamo conoscere **i fondamenti/le fondamenta** della matematica.
- Bruto teneva **i fili/le fila** della congiura contro Cesare.

4 Scrivi sul quaderno una frase con ogni plurale.

- ciglio → **cigli/ciglia**
- gesto → **gesti/gesta**

5 Leggi i nomi e indica così: ☐S☐ singolare, ☐P☐ plurale, ☐I☐ invariabile.

☐ tosse	☐ sci	☐ inganni	☐ cinema	☐ analisi
☐ petrolio	☐ oasi	☐ varicella	☐ pioggia	☐ dei
☐ sport	☐ gorilla	☐ età	☐ serie	☐ occhiali
☐ mariti	☐ virtù	☐ oblò	☐ specie	☐ barbarie
☐ bar	☐ socia	☐ crisi	☐ dita	☐ metropoli

Nomi collettivi e nomi composti

MEMO

Nomi collettivi

gregge = insieme di pecore

Nomi composti

salva + gente = salvagente

1 Completa la tabella come nell'esempio.

flotta	insieme di navi	stoviglie	....
banda	....	....	insieme di pini
....	gruppo di cantanti	....	insieme di persone
squadra	....	....	insieme di stelle

2 Spiega il significato dei nomi collettivi.

- flora: ....
- fauna: ....
- pinacoteca: ....
- sciame: ....
- mandria: ....

3 Sottolinea solo i nomi collettivi.

- L'arcipelago toscano è molto conosciuto.
- I vigneti e gli uliveti sono la ricchezza del Mediterraneo.
- Orde di barbari invasero l'Impero romano.
- Le tifoserie applaudirono ogni squadra.

il CONSIGLIO

Per i plurali controlla sul dizionario.

4 Scomponi i nomi composti come nell'esempio, poi scrivi il plurale.

corrimano	corri + mano (verbo + nome)	corrimani
pianoforte	....	....
portacenere	....	....
agrodolce	....	....
capotreno	....	....
dopobarba	....	....

5 Indovina i nomi composti. Poi scrivi una frase sul quaderno con ciascuno.

- Serve per schiacciare le noci: ....
- Contiene oggetti preziosi: ....
- Si usa per asciugarsi le mani: ....

Nomi primitivi e nomi derivati

MEMO

Nome primitivo	Nome derivato
Carta	Cartiera
↙ radice ↘ desinenza	↙ radice ↘ suffisso

1 Scrivi un nome derivato per ogni primitivo e completa la tabella.

Primitivo	Derivato	Primitivo	Derivato	Primitivo	Derivato
forno	....	fiore	....	vento	....
scudo	....	fratello	....	argento	....
mano	....	cassa	....	ricetta	....
legno	....	fieno	....	pugno	....

2 Cerchia i nomi derivati, poi inseriscili nelle tabelle e scrivi
il corrispondente nome primitivo. Segui l'esempio.

🖊 **Oggi indosso una nuova (collana).**

- Oggi passerò dal benzinaio.
- Mi piacerebbe un braccialetto d'oro.
- Questi sono gli occhiali di Harry Potter!
- Hai preso i quaderni dal cartolaio?

- Il panorama dalla scogliera è spettacolare!
- I muratori sono stati pagati in anticipo.
- La zuppiera è già in tavola.
- L'albergatore è gentilissimo!
- La latteria è in fondo alla strada.

Primitivo	Derivato
collo	collana
....	....
....	....
....	....
....	....

Primitivo	Derivato
....	....
....	....
....	....
....	....
....	....

3 In ogni gruppo cerchia il nome primitivo e sottolinea
la radice. Poi scrivi sul quaderno una frase con ogni parola
del primo gruppo.

- vetraio / vetro / vetrina / vetrata / vetreria
- territorio / sotterraneo / terra / terriccio / terrario
- bocchettone / boccata / boccone / bocca
- operaio / opera / operazione / operatore

Nomi alterati

MEMO

Nomi alterati

Si ottengono aggiungendo alla radice un suffisso (-one, -ino, -accio...) che dà una particolare sfumatura di significato (**grande**, **piccolo**...).

1 Sottolinea i nomi alterati e inseriscili al posto giusto nella tabella.

- Che figuraccia che hai fatto!
- La renna Rudolph ha un nasone rosso.
- La barca a vela è ancorata nel porticciolo.
- La maestra legge un libriccino di fiabe.
- Un gattaccio miagola per strada.
- I miei parenti abitano in una villetta.
- Vorrei un vasetto di marmellata.
- Quel ragazzaccio ha rotto il vetro!
- La Befana è una donnina buona.
- Ho un febbrone da cavallo!
- Dopo pranzo farò un sonnellino.
- Oggi è stata una giornatona!

Accrescitivo	Diminutivo	Vezzeggiativo	Dispregiativo
....	....	....	....
....	....	....	....
....	....	....	....

2 Sul quaderno modifica i seguenti nomi, come nell'esempio. Scegli tra i suffissi nei cartellini.

borsa • lupo • casa • cavallo • piatto • poeta • carattere • ragazzo

-ino	-etto	-ello	-uccio	-uzzo

-ucolo	-one	-accio	-otto	-astro

✎ borsa → borsina, borsetta, borsuccia, borsona, borsaccia

3 Sul quaderno sostituisci alle seguenti espressioni un nome alterato adatto, poi inventa una frase con ciascuno.

- grande libro
- brutto colpo
- voce forte
- roba inutile
- negozio grazioso
- cappello piccolo

4 Segna con una ✗ la frase che contiene un falso alterato.

☐ La nonna prepara dei biscottini.
☐ Oggi sono nati i pulcini.
☐ Adoro i cappellini!
☐ Abbiamo due pesciolini rossi.

in sintesi

```
                        ┌──────────────┐
                        │     Nomi     │
                        └──────────────┘
   ┌──────────┬──────────┬──────────┬──────────┬──────────┐
┌──────────┐┌──────────┐┌──────────┐┌──────────┐┌──────────┐
│Collettivi││ Composti ││Primitivi ││ Derivati ││ Alterati │
│  folla   ││cartamodello│  carta  ││ cartolaio││ cartaccia│
└──────────┘└──────────┘└──────────┘└──────────┘└──────────┘
```

1 Sottolinea la frase dove la parola giudice è al femminile e riscrivi le parole della frase che ti permettono di individuare il genere.

- Quella giudice è molto severa e attenta. ....
- Nessun giudice proclamerà la sua innocenza. ....

2 Sottolinea solo i nomi difettivi.

sangue • ciglia • tutù • tema • morbillo • fauci • orecchi • pinze

3 Cancella il nome che non è corretto. Poi con ciascuno dei nomi cancellati scrivi una frase sul quaderno.

- I muri/Le mura della città sono ben conservate.
- Sento gli urli/le urla dei tifosi allo stadio.
- I membri/Le membra del gruppo devono esprimere il loro parere.

4 Inserisci gli articoli possibili e analizza i nomi mettendo una X nelle caselle giuste.

Articolo deter.	Articolo indeter.	Articolo partitivo	Nome	Collettivo	Composto	Primitivo	Derivato	Alterato
			cicala					
			capoversi					
			cartuccia					
			boscaiolo					
			autorimessa					
			collezioni					
			laghetto					
			cicaleccio					
			abetaia					

L'aggettivo qualificativo

MEMO

Aggettivi qualificativi

Indicano una qualità del nome: **rosa** profumata

1 Sottolinea gli aggettivi qualificativi e collegali al nome a cui si riferiscono, come nell'esempio. Poi completa le tabelle.

Da mesi mi preparavo per il **cenone** <u>natalizio</u>, che per tradizione si svolgeva sempre a casa mia. Sulla porta di casa avevo appeso una corona di pungitopo dalle foglie verdi e lucide, su cui spiccavano allegre bacche rosse. E l'albero di Natale? Naturalmente, avevo scelto un abete ecologico. Aprii il frigorifero, c'era un enorme panettone farcito, un vero capolavoro del mio pasticciere di fiducia, Vanillo Vaniglioso. Lessi sottovoce il menu: antipasto di formaggini aromatizzati, tartine di formaggio tartufato, soufflé di mozzarella sopraffina.

Geronimo Stilton, *È Natale, Stilton,* Piemme Junior

Aggettivo	Nome
natalizio	cenone

Aggettivo	Nome

2 Sostituisci le espressioni sottolineate con l'aggettivo qualificativo corrispondente. Poi scrivi sul quaderno una frase con ciascun aggettivo qualificativo.

- Il giornale <u>che esce ogni settimana</u>. ....
- La maglia di lana è <u>piena di buchi</u>. ....
- Ho ascoltato una storia <u>da non credere</u>. ....

3 Sostituisci le espressioni con gli aggettivi sostantivati.

- **Le persone avare:** gli avari ....
- Gli uomini italiani: ....
- Gli uomini coraggiosi: ....
- Il colore azzurro: ....

MEMO

Quando l'aggettivo è preceduto da un articolo, può sostituire il nome e si chiama **aggettivo sostantivato**.

I ragazzi giovani → I giovani

I gradi dell'aggettivo qualificativo

MEMO

Comparativo	Positivo	Superlativo
di uguaglianza: alta come di maggioranza: più alta di di minoranza: meno alta di	alta	relativo: la più alta, la meno alta assoluto: altissima, molto alta, extra alta...

1 Per ogni aggettivo scrivi sul quaderno una frase con il comparativo indicato.

Comparativo di maggioranza	Comparativo di minoranza	Comparativo di uguaglianza
bugiardo • intonata • dolce	pregiato • costose • noioso	popolosa • lenta • utili

2 Sottolinea di rosso i comparativi di maggioranza e di verde i superlativi relativi.

- Il gattino rosso è il più svelto tra i suoi fratelli.
- Il clima marino è più mite di quello continentale.
- Il nonno è il più anziano tra i suoi amici.

- Il Monte Bianco è più alto del Monte Cervino.
- Il cristallo è più fragile del vetro.
- Le zanzare sono le più noiose tra gli insetti.
- Paperino è il più sfortunato della famiglia!

3 Forma in diversi modi il superlativo assoluto degli aggettivi, come nell'esempio. Aggiungi tu un aggettivo.

caldo: **caldissimo, caldo caldo, molto caldo...**

- elegante: ....
- nuovo: ....
- .... : ....

il CONSIGLIO

Ecco alcuni prefissi che puoi usare: ultra, arci, super, stra...

4 Sostituisci i comparativi e i superlativi regolari con le forme particolari.

- Altea è la mia sorella **più grande** ....
  Giulia è la **più piccola** ....
- Per merenda ho mangiato una crostata **buonissima** ....
- Nel compito hai preso un voto **più cattivo** .... del previsto.

5 Collega l'aggettivo di grado positivo al suo superlativo assoluto.

acre	celeberrimo
celebre	integerrimo
integro	miserrimo
misero	acerrimo

I possessivi

Aggettivi e pronomi possessivi

mio, tuo, suo, nostro, vostro,
loro, proprio, altrui

1 Completa con gli aggettivi possessivi e cerchia il nome a cui si riferiscono.

- Marco si è allenato troppo, i .... muscoli sono dolenti.
- Le .... stoffe sono pregiate.
- La maestra ha detto ai .... bambini di tenere in ordine la .... aula di pittura.
- Mio zio e .... moglie arriveranno tra poco.
- Non è educato parlare dei fatti ....
- I Greci costruivano i templi per i .... dei.

2 Sottolinea l'aggettivo possessivo corretto.

- Ognuno prenda il **vostro/loro/proprio** zaino.
- Vittoria mi indica la **sua/loro/propria** casa.
- Paolo e Alì portano le **sue/loro/proprie** biciclette ad aggiustare.
- Non sempre rispettiamo i pensieri **suoi/loro/altrui**.

3 Sottolinea di blu gli aggettivi possessivi e di rosso i pronomi possessivi.

- Le tue ciglia sono lunghe, le mie sono corte.
- Ognuno ascolti le idee altrui.
- Pierino ne ha combinata una delle sue!
- I suoi genitori sono più accondiscendenti dei miei e dei tuoi.
- È importante fare sempre il proprio dovere.
- Oggi andiamo al mare, sei dei nostri?

- Luca pensa al proprio interesse e non a quello altrui.
- Il tuo articolo è interessante quanto il loro.
- La nostra mamma è amica della tua.
- Quel bambino è geloso dei suoi giocattoli.
- È tua la giacca a vento rossa?
- Ogni ballerina indosserà il suo tutù.

4 Completa le frasi con i possessivi, poi sottolinea di blu gli aggettivi e di rosso i pronomi.

- La .... idea è diversa dalla ....
- Camilla e Giulia non vogliono prendersi le .... responsabilità.
- Smetti di occuparti dei fatti ....!
- Avevano il pallone uguale al .... e per sbaglio ho preso il ....
- Se mi presti la .... videocamera, io ti presto il .... smartphone.

27

in sintesi

I gradi dell'aggettivo qualificativo

Comparativo →	felice come più felice di meno felice di	Positivo → felice	Superlativo →	il più felice felicissimo

1 Indica il grado degli aggettivi qualificativi.

- meno silenzioso → ....
- superconveniente → ....
- le più belle → ....
- ultraleggero → ....
- miserrimo → ....
- infimo → ....
- più affamati → ....

2 Scegli con una X la frase che contiene il superlativo relativo.

- ☐ La pantera è il felino più feroce tra tutti i suoi simili.
- ☐ Si reputa che la pantera sia ferocissima!
- ☐ Di certo la pantera è più feroce del leone.

3 Sostituisci i comparativi e i superlativi regolari con le forme particolari.

- Questo tortino al cioccolato è buonissimo ....
- Stefano è il mio fratello più grande .... e Giulio il più piccolo ....
- Dal piano più alto .... del palazzo si vede tutta Firenze.
- Se facessi un piccolissimo .... sforzo, prenderesti un bel voto.
- Il gelato in quella gelateria era più cattivo .... che nell'altra.

in sintesi

Aggettivi e pronomi possessivi

mio, tuo, suo, nostro, vostro,
loro, proprio, altrui

4 Cerchia l'aggettivo possessivo e completa la frase: inserisci un pronome possessivo.

- Le mie caramelle sono alla menta, invece ....
- Il loro campionato è sicuramente meno ....
- La nostra roulotte è di marca italiana, ...
- È meglio pensare ai fatti propri e non ....

I dimostrativi

MEMO

Aggettivi e pronomi dimostrativi
questo (quest'), quello (quell'), quel, codesto, stesso, medesimo.

Ciò è un pronome invariabile.
Sono solo pronomi: costui, costei.

1 Completa con l'aggettivo dimostrativo adatto e cerchia il nome a cui si riferisce.

- .... tavolo vicino a me è pesante, aiutami!
- Guarda che belli .... pappagalli variopinti!
- Non giudicare .... uomini che conosci appena.
- .... marmellata è prodotta con frutta biologica.
- Elena ha preso due appuntamenti nello .... orario.
- .... giorno presi un grande spavento.
- Susi ha le .... calze di Rita.

2 Scrivi una frase con ciascun aggettivo dimostrativo.

- quel ....
- quello ....
- quell' ....
- quei ....
- quegli ....

3 Completa con i dimostrativi, poi sottolinea di blu gli aggettivi e di rosso i pronomi.

- Preferisci leggere .... giornale o ....?
- .... che è successo è incredibile!
- .... macchina è un diesel, ... va a benzina.
- Tai frequenta le .... amiche dall'asilo e abita nel .... palazzo.
- .... che dici è la verità?
- Dammi .... libro e riprenditi ....

- .... disegni sono miei, ... sono di Irene.
- Mi piace .... torta, anche se non è la .... che mi preparava la nonna.
- Fra tutte le mie camicie, ... sono eleganti, ... sono sportive e .... troppo pesanti!
- .... è davvero un bravo prestigiatore!
- Hai mai visto .... spettacolo?

Gli indefiniti

1 Completa con l'aggettivo indefinito adatto, poi collega al nome
a cui si riferisce.

✏ **Francesco ha ....pochi.... amici fidati.**

• .... bambino prenda un
palloncino colorato!

• Ester si è fatta notare in ....
occasioni.

• Non ho .... voglia di spolverare!

• Ho .... albicocche, ne vuoi
una?

• .... giorno prendo l'autobus.

• Lascia perdere .... persone!

• Peccato, a causa del forte vento al circo
c'erano .... spettatori.

2 In ogni frase sottolinea gli indefiniti,
poi indica se si tratta di un aggettivo
A o di un pronome P.

• Ho scaricato tutte le applicazioni. ☐
• Lei non chiede mai nulla. ☐
• Ciascuna poetessa leggerà un passo. ☐
• La nonna mi porta sempre qualcosa. ☐
• Non ho altro da fare, vado a casa! ☐
• Nel bosco avevamo tanto freddo. ☐
• Ho telefonato parecchie volte. ☐
• Tutti erano invitati alla mia festa. ☐

3 Sostituisci le parole sottolineate con
un pronome indefinito adatto.

• A ciascuna persona il suo. ....
• Vedo delle cose tra i rami. ....
• Ha lavorato per pochi soldi. ....

4 Sottolinea certo solo se ha funzione
di aggettivo indefinito.

• Gareggerà di certo.
• Un certo commissario.
• Un suggerimento certo.

5 Scrivi due frasi per ogni indefinito: una volta come aggettivo A
e una volta come pronome P.

• Tutti ⟨ A ....
          P ....

• Nessun(o) ⟨ A ....
              P ....

Numerali, interrogativi, esclamativi

MEMO

Aggettivi e pronomi numerali:	Sono **numerali** anche le espressioni che indicano:
• **cardinali**: uno, due… • **ordinali**: primo, secondo…	• una o più parti: metà, un terzo… • la distribuzione di una quantità: a due a due, duplice…

1 Completa la tabella con i numerali cardinali o ordinali mancanti.

Cardinali	Ordinali
ottanta	ottantesimo
quattordici	
	sesto
	centesimo
uno	
	secondo
	milionesimo

Prima! ARRIVO

il CONSIGLIO

I numeri ordinali si possono scrivere anche in cifre arabe con un piccolo zero all'esponente (1°, 11°) o in cifre romane (I, XI).

2 Sottolinea i numerali in queste frasi.

Ho preso una <u>doppia</u> razione di pasta.

• Quelle cinque nuotatrici sono le migliori!
• Qual è l'ottavo mese dell'anno? E il nono?
• Giulia ha comprato una dozzina di paste.
• Resterò sei giorni: dal primo al terzo solo riposo!
• I documenti servono in triplice copia.
• Ho contato gli spiccioli uno a uno.

3 Completa con gli esclamativi e gli interrogativi adatti; colora il quadratino di blu se sono aggettivi e di rosso se sono pronomi.

☐ .... sei? Mi sembra di conoscerti.
☐ .... caldo! .... afa!
☐ .... regalo hai ricevuto per Natale?
☐ .... carte ci sono nel tuo raccoglitore?
☐ Ci sono due giacche, ... indosserai?
☐ Ma .... ti salta in testa!

MEMO

Aggettivi e pronomi esclamativi e interrogativi
che, chi, quale, quali, quanto, quanta, quanti, quante

Sono solo pronomi:
chi, che cosa.

4 Sul quaderno scrivi quattro frasi utilizzando che nelle seguenti funzioni: aggettivo esclamativo/interrogativo, pronome esclamativo/interrogativo.

I pronomi personali (1)

MEMO

numero	soggetto	complemento
1ª sing.	io	me / mi
2ª sing.	tu	te / ti
3ª sing. (masch.)	lui egli esso	lui / lo / gli / si / sé / ne
(femm.)	lei essa	lei / la / le / si / sé / ne
1ª plur.	noi	noi / ce / ci
2ª plur.	voi	voi / ve / vi
3ª plur. (masch.)	loro essi	loro / li / si / sé / ne
(femm.)	loro esse	loro / le / si / sé / ne

1 Scrivi tra parentesi quale nome viene sostituito dal pronome evidenziato.

Ho incontrato Nanni e <u>gli</u> ho restituito il suo monopattino.   (.....Nanni...........)

- C'era un granchio sugli scogli e un bambino <u>lo</u> guardava incuriosito. (........................)
- Nabil e Hassan sono i miei nuovi amici: <u>li</u> ho conosciuti a scuola.   (........................)
- Paolo vide una scimmia allo zoo e <u>le</u> diede una nocciolina.   (........................)
- Mia sorella è al campeggio, non <u>la</u> vedo da una settimana.   (........................)
- Gli zii sono in ferie: non <u>li</u> disturbare!   (........................)
- Quel barattolo è di vetro, per favore non <u>lo</u> rompere!   (........................)
- La bambina ha la tosse, <u>le</u> darò uno sciroppo.   (........................)
- Ho dato al cane la sua ciotola, non <u>gli</u> portate altro cibo.   (........................)

2 Sottolinea il pronome personale corretto.

- **Tu/Te** entri sempre per primo in classe!
- **Tu/Te** e **io/me** siamo amici per la pelle.
- Abbiamo raggruppato i vincitori perché la giuria **gli/li** premi.
- Ho visto l'accompagnatore del gruppo e **gli/li** ho chiesto delle informazioni.
- Cenerentola indossò le scarpette di cristallo e quando fuggì **la/ne** perse una.
- Ho ricamato una coperta a Lucia: **la/le** voglio fare una sorpresa!
- Secondo te dovrei cambiare squadra? **Ne/Ci** penserò.

3 Completa con un pronome personale adatto.

- Quando vedi Agnese .... dici di telefonarmi?
- Cerco gli occhiali ma non .... trovo.
- Il nonno ha seminato l'insalata, non .... calpestare!
- Ho scritto a Guido e .... ho chiesto di Daniele.
- La mamma prende le pentole e .... mette nella lavastoviglie.
- Ho due fratelli e sono arrabbiato con ....!
- Ho fatto i biscotti, ... vuoi uno?

I pronomi personali (2)

1 Cerchia lo, la, gli, le quando sono pronomi
e sottolinea quando sono articoli determinativi.

il **CONSIGLIO**

Attenzione: gli articoli
precedono un nome,
i pronomi precedono
un verbo.

- Gli amici di Thomas gli hanno fatto una sorpresa.
- Le avete chiesto se gli stivali le stavano bene?
- Ecco il papà, ora gli corro incontro e lo saluto!
- Stasera dormo dalla mia amica e le regalo le pantofole imbottite.
- La pizza è il mio piatto preferito, quando sarà pronta la mangerò tutta!
- Filippo è assente, però gli devi dire che gli esercizi andavano bene.
- Lo squalo è un pesce pericoloso e aggressivo; lo dicono tutti!
- Ho fatto la spesa per la nonna: le ho comprato la frutta e le carote.

MEMO

Pronomi personali complemento

- Forme forti → me, te, lui, lei, noi, voi, loro
- Forme deboli o **particelle pronominali** → mi, ti, si, lo, la, gli, le, ci, vi, li, le

Le particelle pronominali spesso si uniscono al verbo che le precede.	Particelle pronominali + lo, la, li, le, ne → me lo, te la, ce li...
Porta a me l'acqua! → Portami l'acqua!	Ce ne andiamo subito!

2 Sostituisci le parole sottolineate con una particella pronominale adatta.

✎ Dai a me la valigia! → Dammi la valigia!

- Tu chiedi a lei la ricetta e portala a noi. → ....
- A voi dispiace se usciamo? → ....
- Le gatte sono in casa, mandate loro fuori. → ....
- Ascolta lui e fai come dice a te. → ....

3 Leggi le frasi e scegli il significato corretto delle particelle pronominali ci e vi.

✎ Ascoltateci, non uscite con la pioggia! (Noi)   A noi

- Vi piace giocare a tennis?   Voi   A voi
- I nonni ci hanno invitato a pranzo.   Noi   A noi
- Vi ringrazio del regalo.   Voi   A voi
- Ci piace molto la sua nuova auto.   Noi   A noi

4 Completa il testo con i pronomi personali. Scegli tra i seguenti:

gli • lo • li • loro

Fabio era al mare, ... andai a trovare e .... portai le biglie. Poi chiamai Teo e Lia e dissi .... di venire a giocare con noi.

I pronomi relativi (1)

MEMO

Variabili	Invariabili
il quale, la quale, i quali, le quali, colui che, colei che, coloro che	che (può essere sostituito da **il quale, la quale**…) chi (può essere sostituito da **il quale, colui che**…) cui (spesso preceduto da preposizioni: **a cui, di cui**… e può essere sostituito da **al quale, del quale**…)

1 Sottolinea il pronome relativo e cerchia il nome a cui si riferisce.

- Mi presti la penna di cui ho bisogno?
- La bicicletta che guidi è un modello esclusivo!
- L'amica di cui ti parlavo frequenta la palestra.
- Vi mostro i miei dipinti ai quali sono affezionato.

- Sono sul terrazzo da cui si vede il mare.
- La casa in cui abitava Ilaria è ristrutturata.
- Il bambino con cui giochi somiglia a tuo fratello.
- Ascolta il consiglio che ti ho dato.
- Il direttore ha preso le chiavi con cui chiude la cassaforte.

2 Sostituisci i pronomi chi e cui con: colui che, coloro che, i quali, ai quali…

✎ Parlo con **chi**/ _colui che_ mi è simpatico!

- Pablo è l'amico **su cui**/ .... conto.
- Il motivo **per cui**/ .... studio è imparare.
- I cani **a cui**/ .... porto il cibo sono docili.
- Mi piace giocare con **chi**/ .... sa accettare la sconfitta.

3 Scrivi una frase con il pronome relativo cui nelle forme date.

- a cui

....

- di cui

....

- per cui

....

4 In ogni coppia di frasi sottolinea la parola che si ripete. Poi riscrivi sul quaderno le frasi e collega con un pronome relativo. Osserva l'esempio.

✎ Ho delle bambole. Con le bambole gioco.　_Ho delle bambole con cui gioco._

- Ho finito il disegno. Ieri avevo iniziato il disegno.
- In casa ci sono i fiori. Ai fiori manca l'acqua.
- Quella è un'amica. Della mia amica ti ho parlato.
- Hai salutato le tue sorelle. Le tue sorelle partivano.
- Voglio recitare la poesia. Ho studiato la poesia.
- La maestra detta un problema. Il problema è un rompicapo!

I pronomi relativi (2)

1 Completa le frasi con i pronomi relativi.

✎ La tunica ......**di cui**...... ti ho parlato è in quella vetrina.

- Il ragazzo .... avete scambiato le figurine è un furbone!
- Il medico .... hai chiamato è molto stimato.
- Non ricordo la località .... siamo partiti.
- Non ho visto .... ha chiuso la porta.
- Ci sono momenti .... il tempo non passa mai.
- Federico è un compagno .... vedo con piacere.
- La persona .... pensi per questo lavoro ha un altro impiego.
- Rispetto .... sono onesti e .... si impegna.

2 Completa con i pronomi relativi adatti.

✎ La zia vive in una casa...

...**che**............... si trova in collina.

...**in cui**............ c'è il focolare.

...**da cui**............ si vede il mare.

- Matteo è un amico...

  .... proviene da Torino.

  .... gioco a baseball.

  .... mi fido.

- Giulia ha un gattino...

  .... parla sempre.

  .... vuole molto bene.

  .... ha pochi mesi.

- Ho visto il film...

  .... hanno dato un premio.

  .... tutti parlano.

  .... mi hai consigliato.

3 Sottolinea il pronome relativo corretto.

- Ho conosciuto un bambino **che/di cui** adora costruire gli aquiloni.
- L'abito **che/a cui** Anna ha cucito da sola è molto elegante.
- Ti presento l'ingegnere **che/da cui** ha costruito il ponte.
- Ecco il libro **che/di cui** ti ho parlato.

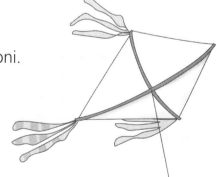

MEMO

Dove può avere funzione
di pronome relativo
quando significa in cui,
nel quale...

4 Cerchia dove quando ha valore di pronome relativo.

- Dove vai?
- La città dove lavoro è vicina.
- Conosci un posto dove cenare?
- La mensola dove tengo il dizionario è caduta!

Le funzioni di che e chi

CHE
→ pronome relativo: Il brano che hai letto è divertente.
→ pronome interrogativo-esclamativo: Che vuoi? Che dici!
→ aggettivo interrogativo-esclamativo: Che tempo fa? Che torta!
→ congiunzione: Credo che Paolo dorma.

1 Sottolinea che se è pronome relativo e cerchia se è congiunzione.

il CONSIGLIO

Se puoi sostituire che con il quale, la quale… allora che è un pronome relativo.

- Non dire che sei stanco, perché ti sei svegliato a mezzogiorno.
- Topolino ha visto Macchia Nera che apriva la cassaforte.
- Tu speri che domani non piova, invece farà brutto tempo.
- Simona lavora in un ufficio che ha aperto un nuovo settore.
- Dopo aver sciato, penso che abbiate fame!
- La storia che mi hai letto è fantastica, mi piacerebbe che la leggessi ancora!

2 Sottolinea che come indicato:
di rosso → pronome relativo;
di verde → congiunzione;
di blu → pronome e aggettivo interrogativo-esclamativo.

- Mi hanno regalato quel computer che aspettavo da tanto.
- Che bello! Ho visto un gabbiano reale che volava basso basso sull'acqua.
- Si pensa che i dinosauri siano scomparsi a causa di un meteorite.
- Che borsa prendi per andare in centro? Spero che tu decida in fretta.
- Al mare ho preso tre cartoline che ho dimenticato di imbucare.
- Ho preferito dire la verità che raccontare un sacco di bugie.
- Edoardo era sul treno che è partito dal terzo binario.

3 Sottolinea chi se è pronome relativo e cerchia se è pronome interrogativo-esclamativo.

- Parlerà con chi lo attende.
- Chi ti credi di essere?
- Chi ha capito alzi la mano.
- Chi se l'aspettava!
- Chi ama gli animali li rispetta.
- A chi ci dobbiamo rivolgere?

CHI
→ pronome relativo:
Ammiro chi gioca a scacchi.
→ pronome interrogativo-esclamativo:
Chi parla?
Chi si rivede!

RIPASSIAMO

Aggettivi e pronomi

Dimostrativi	Indefiniti	Numerali	Interrogativi-esclamativi
questo, codesto, quello, stesso, medesimo, tale, ciò…	tutto, tutti, alcuni, alcune, ogni, ognuno, qualcuno, qualcosa…	uno, due, primo, secondo, due a due, metà…	che, chi? che cosa!…

1 Sottolinea gli aggettivi e analizzali come nell'esempio.

	Dimostrativi	Indefiniti	Numerali	Interrogativi	Esclamativi
Oggi ho <u>molte</u> consegne da fare.		X			
Che ore sono?					
Ti piace quel lampadario?					
Da alcuni anni pratico la danza.					
L'ottagono ha otto lati.					
Che bel libro ho letto!					
Quale strumento suoni?					
Hai gli stessi occhi di papà.					
Sono il quinto classificato a dorso.					
Qualsiasi scusa sarà inutile.					

2 Sul quaderno scrivi due frasi con ognuno dei seguenti termini: usali una volta come aggettivo e una volta come pronome.

questo • tutti • secondo • che?

3 Leggi la frase, poi segna con una X la risposta corretta.

- **Nessuno** entrò nel museo; ecco perché **nessun** allarme scattò.

  ☐ **Nessuno** e **nessun** sono aggettivi.   ☐ **Nessuno** è aggettivo, **nessun** è pronome.

  ☐ **Nessuno** e **nessun** sono pronomi.   ☐ **Nessuno** è pronome, **nessun** è aggettivo.

in sintesi

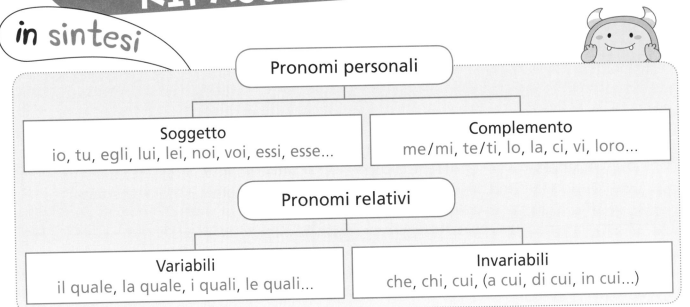

Pronomi personali

Soggetto
io, tu, egli, lui, lei, noi, voi, essi, esse...

Complemento
me/mi, te/ti, lo, la, ci, vi, loro...

Pronomi relativi

Variabili
il quale, la quale, i quali, le quali...

Invariabili
che, chi, cui, (a cui, di cui, in cui...)

---

4 Leggi il racconto e sottolinea tutti i pronomi personali.

C'era una volta un leone addormentato. Un topo di passaggio lo scambiò per una montagna e prese a corrergli addosso. Ma il leone, sentendo qualcosa che gli faceva il solletico, si svegliò.

– Adesso ti mangio – disse.

– Perché? – disse il topo. – Sono così piccolo che avresti ancora fame. E poi, rifletti, se non mi mangi un giorno potrei esserti d'aiuto!

– Tu, d'aiuto a me? – disse il leone. – Ah, caro topo, mi fai proprio ridere. Voglio risparmiarti per questo.

Favole di Esopo, Einaudi Ragazzi

il CONSIGLIO

Attenzione:
devi trovarne 10!

---

5 Leggi la frase, poi scegli con una ✗ la risposta corretta.

- Guarda **le** mie scarpe nuove: **le** avevi viste?

  ☐ **Le** è in entrambi i casi pronome personale.

  ☐ **Le** è in entrambi i casi articolo.

  ☐ Il primo **le** è pronome personale, il secondo **le** è articolo.

  ☐ Il primo **le** è articolo, il secondo **le** è pronome personale.

6 Sottolinea il pronome relativo e cerchia il nome a cui si riferisce.

- Le forbici che hai usato sono mie.
- Il paese in cui vivi è conosciuto all'estero.
- Martina frequenta degli amici dei quali non sappiamo il nome.
- La pianta da cui hai preso le foglie è una specie antichissima.

---

7 Riscrivi la frase e sostituisci il pronome relativo che usato in modo errato con un pronome relativo corretto.

La penna che scrivo è stilografica. ....

Verbi irregolari

Verbi regolari	Verbi irregolari
cant-**are** cant-**a**	and-**are** vad-**o**
↙ ↘	↙ ↘
radice **desinenza**	radice **desinenza**

I verbi irregolari possono cambiare:
* la radice (dir-**e**, dis-**si**)
* la desinenza (cad-**di** e non cad-**ei** o cad-**etti**)
* la radice e la desinenza (viv-**ere**, vis-**si** e non viv-**ei**)

1 Nelle seguenti forme verbali distingui la radice R dalla desinenza D, poi scrivi l'infinito e indica se il verbo è regolare o irregolare.

diciamo R ..dici-.... D ..-amo...... infinito: ..dire..... → ..irregolare........

* vissi R .... D .... infinito: .... → ....
* mangerai R .... D .... infinito: .... → ....
* seppero R .... D .... infinito: .... → ....

2 Per ogni voce verbale scrivi sul quaderno l'infinito e la coniugazione a cui appartiene.

saltavo • seppe • scolpii • guideremo

trasse • tolgo • conduci • scriverò

il CONSIGLIO

Se hai dei dubbi, consulta il dizionario.

3 Scrivi il participio passato dei seguenti verbi.

* cogliere ....
* bere ....
* piangere ....

* correre ....
* porgere ....
* scuotere ....

4 Sottolinea le forme verbali sbagliate e riscrivile corrette.

* I bambini più alti vadino in fondo alla fila. ....
* Vorrei che mi dassi una fetta di torta. ....
* Entrati in casa accendettero la luce. ....
* Le autorità starono sedute in tribuna d'onore. ....

5 Scegli due forme verbali che hai corretto nell'esercizio 4 e con ciascuna scrivi una frase sul quaderno.

Il modo indicativo

1 Coniuga le voci verbali ai tempi indicati.

✎ Egli pone → (pass. remoto) *egli pose* .... (imperfetto) *egli poneva* ....

- Io salgo → (pass. remoto) .... (fut. semplice) ....
- Io dico → (imperfetto) .... (trap. prossimo) ....
- Essi fanno → (imperfetto) .... (fut. semplice) ....
- Egli va → (pass. remoto) .... (imperfetto) ....

2 Scrivi la prima persona singolare del passato remoto dei seguenti verbi.

- andare: ....
- nascere: ....
- vedere: ....
- fare: ....
- tacere: ....

- dormire: ....
- cuocere: ....
- bere: ....
- fondere: ....
- giungere: ....

3 Completa le frasi con il trapassato prossimo o il trapassato remoto del verbo tra parentesi.

- Non appena la mamma (uscire) ...., il telefono squillò.
- Noi ridevamo perché Alessio (indossare) .... i pantaloni del suo papà.
- Le cicogne erano affaticate perché (attraversare) .... il mare.
- Io trovai un errore dopo che (rileggere) .... il compito.
- Jack parlava italiano, dal momento che (vivere) .... in Italia per due anni.
- Non cenarono finché non (arrivare) .... gli ospiti.

4 Completa le frasi e usa in modo corretto il futuro semplice e il futuro anteriore dei verbi indicati tra parentesi.

- Quando ti (vedere) .... ti (rendere) .... la tua maglia pulita.
- La prossima settimana Camilla (dare) .... una festa all'aperto.
- Luca (uscire) .... quando (finire) .... di studiare scienze.
- Io non (avere) .... pace finché non ti (vedere) ....!
- Quando tu (leggere) .... la mia e-mail io (partire) ....; ne riparleremo quando (tornare) ....
- Domani la nonna (venire) .... a casa nostra!
- Ti (comprare) .... un orologio nuovo solo quando (ricevere) .... lo stipendio.

Il modo congiuntivo e il modo indicativo

1 Per ogni voce verbale del congiuntivo, indica il tempo.

✎ **Che essi fossero stati** → <u>trapassato</u>

- Che voi siate usciti → ....
- Che tu guarisca → ....
- Che noi abbiamo recitato → ....

- Che voi aveste voluto → ....
- Che lui andasse → ....
- Che egli abbia scritto → ....
- Che lei fosse scesa → ....

2 Coniuga il verbo tra parentesi al modo congiuntivo e completa le frasi.

- Speriamo che mio fratello (arrivare) .... in tempo per il mio compleanno.
- Pensavo che lo zaino (essere) .... più piccolo.
- Temete che qualcuno (dire) .... il contrario?
- Sperai che le collane della mamma non si (rompere) .... cadendo a terra.

il CONSIGLIO

I verbi che esprimono speranza, desiderio, timore, opinione **vogliono il congiuntivo.**

3 Analizza le seguenti voci verbali e completa la tabella.

Voci verbali	Modo	Tempo
ebbe detto	....	....
fossimo stati	....	....
esca	....	....
erano entrati	....	....
verranno	....	....
abbia temuto	....	....

4 Cerchia il verbo giusto e indica se è al modo indicativo ☐ I ☐ o congiuntivo ☐ C ☐. Poi scrivi il tempo.

- Se Luca **venisse/veniva** all'assemblea, capirebbe il problema. ☐ ....
- Lorenzo temeva che i compiti **fossero/erano** sbagliati. ☐ ....
- Ah, se **fossimo arrivate/eravamo arrivate** per prime! ☐ ....
- Sono sicuro che loro **avessero fatto/hanno fatto** la pace. ☐ ....
- Spero che tu **sia/sei** sveglio! ☐ ....

Il modo condizionale
e il modo congiuntivo

1 Sottolinea i verbi al modo condizionale. Poi inseriscili nella tabella al posto giusto.

- Loro sarebbero saliti volentieri sulle giostre.
- Mi aiutereste a sparecchiare la tavola?
- Se fosse Agosto andrei al mare!
- Aldo sarebbe stato un bravissimo tennista.
- Se avessi fame mangerei un tramezzino.
- Hai risolto il rebus? Non lo avrei mai detto!
- Loro crederebbero solo a me!
- Sarei venuto da te in tempo, ma ho forato!

Condizionale	
Presente	Passato
....	....
....	....
....	....
....	....

2 Sottolinea i verbi al congiuntivo e completa le frasi con un verbo al condizionale. Segui l'esempio.

✎ Se l'avessi saputo sarei partito prima.

- Se fossi un pittore ....
- Se l'avessi incontrato prima ....
- Se avessi una bacchetta magica ....
- Se fossi stato più attento in classe ....

3 Sottolinea di rosso i verbi al congiuntivo e di blu i verbi al condizionale.

- È probabile che oggi ci sia una gara podistica.
- Non vorrei offenderti, ma hai combinato proprio un pasticcio.
- Elena avrebbe dormito di più, però era l'ora di alzarsi.
- Se la nonna avesse avuto della farina, avrebbe preparato i biscotti.
- La mamma vorrebbe che io tenessi i giochi in ordine!
- Noi saremmo arrivati puntuali, se non ci fosse stato traffico.
- Se loro mi avessero dato ascolto, non sarebbero in questa situazione!
- Mi farebbe piacere ricevere tue notizie.

4 Sostituisci al verbo sottolineato un verbo al modo condizionale.

- Voglio un regalo! ....
- Preferiamo guardare un film. ....
- Prestami la penna. ....

Il modo infinito

1 Scrivi l'infinito presente delle seguenti voci verbali.

- nacque ....
- eri salpato ....
- che voi foste andati ....
- verrò ....
- cuoceste ....

- odono ....
- che ella sia ....
- saremmo tornati ....
- che essi possano ....
- avrai letto ....

2 Sottolinea di blu l'infinito presente e di rosso l'infinito passato.

- Dopo aver letto la sua e-mail, le ho risposto che era meglio rimandare.
- Per attivare la stampante, premere il tasto rosso.
- Credevo di aver visto due vecchie amiche, ma mi sbagliavo.
- Ho paura di aver cancellato alcuni dati, prima di spengere il computer!
- Il nonno mi ha chiesto di portare ad aggiustare il suo orologio.
- Loro pensavano di aver superato l'esame.
- Prima di aggiungere la salsa di pomodoro, bisogna far soffriggere la cipolla.
- Non contare su di me per finire i tuoi compiti!

3 Completa le frasi con un verbo adatto al modo infinito, poi sottolinea di blu l'infinito presente e di rosso l'infinito passato.

Per __aver corso__ un'ora sotto la pioggia, Marco ha la febbre.

- Prima di .... , ricorda di .... le finestre e di .... la luce.
- Silvia e Sara hanno fatto bene la verifica senza .... molto.
- Vorrei .... chi ha versato tutta la colla.
- Quei signori non sapevano di .... un quadro famoso!
- Dopo .... da Parigi, andremo dagli zii a .... la Pasqua.

4 Sostituisci con l'infinito i nomi sottolineati e riscrivi la frase.

Lo studio aiuta a capire.   Studiare aiuta a capire.
- Sentivo il sibilo del vento. ....
- La lettura è rilassante. ....
- Il gioco è divertente. ....
- Spesso l'attesa innervosisce. ....
- Lo sbaglio aiuta a migliorare. ....

Il modo participio e il modo gerundio

1 Completa la tabella.

Infinito	Participio presente	Participio passato
essere	....	....
avere	....	....
aiutare	....	....
raffigurare	....	....
fare	....	....
coprire	....	....
ridere	....	....
vedere	....	....

2 Sottolinea il participio e scrivi se ha funzione di verbo [V], nome [N] o aggettivo [A].

Andrea è caduto dalla bicicletta! [V]

- Quel neonato ha un visetto sorridente. [ ]
- Questo brillante è molto raro e prezioso. [ ]
- La domestica ha pulito i vetri e ora sono davvero brillanti. [ ] [ ]
- Sulla facciata del duomo c'è una statua raffigurante San Martino. [ ]
- Ho riso fino a perdere il fiato! [ ]
- Il cantante si esibì davanti a centinaia di persone. [ ]
- Snoopy ha sempre un'aria sognante. [ ]

3 Sostituisci con un gerundio presente o passato le espressioni sottolineate.

Mentre mangio mangiando **bevo sempre un bicchiere d'acqua.**

- Mentre dorme .... russa come un orso!
- Poiché era arrivato .... tardi non aveva trovato posto a sedere.
- Poiché hai corso .... sei tutto sudato.
- Poiché era aperto .... visitai l'acquario di Genova.

4 Trasforma i verbi al modo gerundio come nell'esempio, poi riscrivi la frase.

Mi stancai camminando veloce.
Poiché camminavo **veloce mi stancai.**

- Pulendo l'insalata vide una lumachina.
  ....
- Essendo domenica i negozi erano chiusi.
  ....
- Avendo letto l'annuncio, Gabriele si iscrisse al torneo.
  ....
  ....

1 In ogni coppia sottolinea la forma corretta. Per ogni forma corretta scrivi una frase sul quaderno.

- attinsero / attingerono
- offrisco / offro
- stessimo / stassimo
- crederono / credettero
- proteggetti / protessi
- nascei / nacqui

2 Coniuga i verbi tra parentesi nel modo e nel tempo adeguato. Poi scrivi il modo e il tempo usato.

- La prossima settimana (arrivare) .... i nonni.
  MODO: .... TEMPO: ....

- Dopo che (finire) .... di mangiare, uscì.
  MODO: .... TEMPO: ....

- Era molto stanco perché (lavorare) .... tutto il giorno.
  MODO: .... TEMPO: ....

- Io non sarò tranquilla finché non gli (parlare) ....
  MODO: .... TEMPO: ....

- Dopo aver ascoltato, il maestro (dire) .... quello che pensava.
  MODO: .... TEMPO: ....

- Non uscirò finché non (smettere) .... di piovere.
  MODO: .... TEMPO: ....

3 Sottolinea di rosso i verbi al congiuntivo e di blu i verbi all'indicativo. Poi per ciascuno indica modo e tempo sul quaderno.

- Spero che tu guarisca presto: a scuola mi annoio senza di te.
- Credevo che Martina fosse venuta a casa tua.
- Penso che il papà sia già uscito dal lavoro. Tra poco arriverà.
- Credevo che tu lo sapessi. Non ti hanno detto niente i tuoi compagni?
- Chiara me lo aveva ricordato. Pensava che io lo avessi dimenticato.
- Domani andrò da Marco. Spero che sia guarito.
- Credo che la nonna sia uscita perché non ha risposto al telefono.

4 Sul quaderno scrivi una frase con i verbi desiderare, temere, credere seguiti dal congiuntivo. Poi indica quale tempo hai usato.

5 Inserisci un verbo al condizionale presente o passato per completare in modo logico la frase. Poi sottolinea di blu i verbi al condizionale presente e di rosso quelli al condizionale passato.

- Se ieri la mia amica fosse venuta nel bosco, ... raccogliere le castagne.
- Se tu avessi finito i compiti, ... a vedere la partita di pallavolo.
- Voi .... questo monopattino, se non costasse troppo?
- Se nevicasse di nuovo, io .... a sciare!

6 Segna con una ✗ la frase corretta.

- ☐ Ecco che cosa penso: se mi offrissero quel posto partirei subito!
- ☐ Ecco che cosa penserei: se mi offrissero quel posto parto subito!
- ☐ Ecco che cosa pensassi: se mi offrono quel posto partirei subito!

7 Sottolinea di rosso i verbi al modo infinito, di verde quelli al modo participio, di blu quelli al modo gerundio.

- Sentito il fischio d'inizio, il capitano lanciò il pallone.
- Dopo aver potato la siepe, il giardiniere andò ad annaffiare le aiuole.
- Avendo visto i fulmini in lontananza, decisi di non uscire.
- Ricordati di lasciare l'ombrello grondante nel portaombrelli.
- Essendo agile, la gazzella sfuggì al predatore.
- L'addetto, facente la funzione di direttore, ci invitò a sederci per aspettare il nostro turno.

8 Sottolinea il participio e cerchia solo le frasi in cui il participio ha valore di aggettivo.

- Qua c'è una busta contenente del denaro.
- Il presentatore fece entrare il concorrente.
- L'acqua fresca di montagna è dissetante.
- Il ronzio irritante delle zanzare non mi faceva dormire.
- Ho letto un libro davvero interessante.
- Il suo titolare è una persona esigente.
- Il fiume Ticino è un affluente del Po.
- Sulla parete c'è un affresco raffigurante un paesaggio montano.

9 Cambia le parole sottolineate una volta con il participio passato e una volta con il gerundio.

- Dopo che ha bevuto il latte il gattino dorme.

  participio: .... il latte il gattino dorme.

  gerundio: .... il latte il gattino dorme.

- Una volta che l'hai conosciuto, lo stimi.

  participio: ....

  gerundio: ....

Verbi transitivi e intransitivi (1)

MEMO

Verbi transitivi	Verbi intransitivi
Possono avere un complemento oggetto (espansione diretta). • Gaia assaggia (che cosa?) il gelato.	Non possono avere un complemento oggetto, ma solo complementi o espansioni indirette (introdotte da una preposizione). • Gaia passeggia (dove?) in città.

1 Sottolinea solo i verbi transitivi e cerchia l'espansione diretta.

✎ Suoni (il pianoforte)?

- Il nonno abbraccia il nipotino.
- Le rondini garrivano nel cielo.
- Tutti i presenti ascoltarono il discorso.
- Laura andò a scuola.
- Ho terminato gli esercizi.
- Nella borsa ho trovato le tue lettere.

il CONSIGLIO

Aiutati con le domande
chi?, che cosa?

- Edoardo e Anna arrivavano da Roma.
- Gli scolari ritagliano le figure geometriche.
- Quel gruppetto ride e scherza con gli amici.
- La bambina ha bevuto un'aranciata.
- L'equilibrista scese dalla fune.

2 Nella coppia di verbi sottolinea il verbo intransitivo e continua la frase con un'espansione indiretta.

- I pipistrelli **mostrano/volteggiano** ....
- La zia di Claudia **tornava/accendeva** ....
- La nave è **salpata/ha calato** ....
- La mamma **aveva portato/aveva inciampato** ....
- Il ciclista **attraversava/pedalava** ....
- Le api **pungono/ronzano** ....
- Marco e Fabio **sbadigliano/provano** ....

3 Sottolinea di rosso i verbi transitivi e di blu i verbi intransitivi.

- Il deltaplano plana nell'aria.
- I pianeti ruotano intorno al sole.
- A giugno i contadini mietono il grano.
- Gli imbianchini tinteggiano una parete.
- Gli occhi dei gatti luccicano nel buio.
- Noi rammendiamo gli abiti vecchi.

4 Cerchia i verbi transitivi e con ciascuno scrivi una breve frase.

stirare • appendere • nitrire
guadagnare • riempire

....

....

....

....

Verbi transitivi e intransitivi (2)

1 Sottolinea i verbi e completa con un'espansione diretta oppure, se non è possibile, con un'espansione indiretta. Poi indica se il verbo è transitivo ☐T☐ o intransitivo ☐I☐.

- Gli alberi perdono .... ☐T☐ ☐I☐
- Il lupo ha visto .... ☐T☐ ☐I☐
- Il sole tramonta .... ☐T☐ ☐I☐
- Quel tipo rideva .... ☐T☐ ☐I☐
- Qualcuno ha scritto .... ☐T☐ ☐I☐
- La mamma arriverà .... ☐T☐ ☐I☐
- I bambini sguazzavano .... ☐T☐ ☐I☐
- La squadra esulta .... ☐T☐ ☐I☐
- Il maestro sfoglia .... ☐T☐ ☐I☐

MEMO

Alcuni verbi possono essere sia transitivi sia intransitivi e modificano il proprio significato a seconda dell'uso.

Laura saliva le scale.   La temperatura saliva.
(funzione transitiva)   (funzione intransitiva)

2 In ogni coppia di frasi sottolinea di verde il verbo transitivo e di blu il verbo intransitivo.

- L'aereo atterra./Il pugile atterra l'avversario.
- La hostess serve le bibite./La fortuna serve!
- Il treno passò alle dieci./Giorgio mi passò il dizionario.
- La memoria serve./Il cameriere serve i clienti.

3 Scrivi le frasi dell'esercizio 2 volgendo i verbi al passato prossimo. Poi completa la frase nel riquadro.

- .... / ....
- .... / ....
- .... / ....
- .... / ....

I verbi che possono avere sia la funzione transitiva che intransitiva hanno come ausiliare il verbo .... quando sono transitivi, il verbo .... quando sono intransitivi.

TUTTO MAPPE !

Stacca e conserva queste pagine
che ti aiutano a ricordare.

Elementi della frase

Soggetto	Predicato	Complemento oggetto o diretto	Complementi indiretti

Soggetto

DI CHI SI PARLA

• Io mangio.

Predicato

CHE COSA FA, CHI È, COS'È O COM'È IL SOGGETTO

• Io mangio.

Complemento oggetto o diretto

CHI? CHE COSA?

• Io mangio una mela.

Complementi indiretti

GENERALMENTE SONO INTRODOTTI DA PREPOSIZIONI

se il verbo è passivo

NOMINALE
VERBO ESSERE + AGGETTIVO O NOME

• L'ape è un insetto.
• L'ape è piccola.

VERBALE
FORMATO DA UN VERBO

• L'ape vola.

DI CAUSA EFFICIENTE	D'AGENTE
Da che cosa?	Da chi?
• È stata punta da una vespa.	• È stata curata dalla maestra.

SPECIFICAZIONE	TERMINE	LUOGO	TEMPO
Di chi? Di che cosa?	A chi? A che cosa?	Dove? Verso dove? Da dove? Per dove?	Quando? Per quanto tempo?
• I libri di Paola sono pesanti.	• Telefono alla nonna.	• Torno da scuola.	• Verrò da te nel pomeriggio.
MODO	FINE o SCOPO	CAUSA	MEZZO
Come? In che modo?	Per quale fine? A quale scopo?	Per che cosa? Per quale motivo? Grazie a chi?	Con che cosa? Con quale mezzo?
• Salto con agilità.	• Verrò per la cena.	• Piange di rabbia.	• Andrò con il treno.

Parti del discorso

VARIABILI
cambiano in genere, numero, modi e tempi

Verbi

CONIUGAZIONE
- 1ª in -**are** (amare)
- 2ª in -**ere** (temere)
- 3ª in -**ire** (sentire)
- propria (essere, avere)

TEMPO
- passato • presente • futuro

PERSONA
- 1ª, 2ª, 3ª
- singolare • plurale

MODO
- indicativo • congiuntivo
- condizionale • imperativo
- participio • gerundio
- infinito

FORMA
- attiva (io pettino)
- passiva (io sono pettinato)
- riflessiva (io mi pettino)

Pronomi

- personali:
  io, noi...
- possessivi:
  mio, nostro...
- dimostrativi:
  questo, quello...
- numerali:
  uno, secondo...
- indefiniti:
  alcuni...
- relativi:
  che...
- interrogativi
  ed esclamativi:
  chi? quale!...

Aggettivi

- qualificativi:
  dolce, grande...
- possessivi:
  mio, nostro...
- dimostrativi:
  questo, quello...
- numerali:
  uno, terzo...
- indefiniti:
  alcuni, qualche...
- interrogativi:
  quali amici?
- esclamativi:
  che meraviglia!

Articoli

- determinativi:
  il, lo, la, i, gli, le
- indeterminativi:
  un, uno, una
- partitivi:
  del, dei, dello,
  degli, della,
  delle

Nomi

- comuni o propri
- di persona,
  animale, cosa
- concreti: casa
- astratti: felicità
- collettivi: flotta
- primitivi: mare
- derivati: marea
- composti:
  attaccapanni
- alterati:
  casetta

Parti del discorso

INVARIABILI
non cambiano mai

Esclamazioni

Oh!, Ah!, Ehi!, Ohi!...

Avverbi

- **di luogo:** vicino, lontano, là, lì, qui, qua, giù, su...
- **di tempo:** domani, subito, sempre, spesso, mai, prima, dopo...
- **di quantità:** poco, molto, troppo, abbastanza...
- **di modo:** gentilmente, bene, male, volentieri...
- **di affermazione:** sì, certamente, sicuramente...
- **di negazione:** no, non, neppure...
- **di dubbio:** forse, probabilmente, magari...

Congiunzioni

e, anche, mentre, né, neanche, o, cioè, infatti, dunque, quindi, perciò, se, che, quando, però, allora, ma...

Preposizioni

- **semplici:** di, a, da, in, con, su, per, tra, fra
- **articolate:** del, dello, al, alla, sulla, nel...
- **improprie:** dietro a, vicino a, prima di, insieme con...

Prima coniugazione · CANTARE

Modo indicativo

	PRESENTE			PASSATO PROSSIMO
io	canto		io	ho cantato
tu	canti		tu	hai cantato
egli	canta		egli	ha cantato
noi	cantiamo		noi	abbiamo cantato
voi	cantate		voi	avete cantato
essi	cantano		essi	hanno cantato

	IMPERFETTO			TRAPASSATO PROSSIMO
io	cantavo		io	avevo cantato
tu	cantavi		tu	avevi cantato
egli	cantava		egli	aveva cantato
noi	cantavamo		noi	avevamo cantato
voi	cantavate		voi	avevate cantato
essi	cantavano		essi	avevano cantato

	PASSATO REMOTO			TRAPASSATO REMOTO
Io	cantai		io	ebbi cantato
tu	cantasti		tu	avesti cantato
egli	cantò		egli	ebbe cantato
noi	cantammo		noi	avemmo cantato
voi	cantaste		voi	aveste cantato
essi	cantarono		essi	ebbero cantato

	FUTURO SEMPLICE			FUTURO ANTERIORE
io	canterò		io	avrò cantato
tu	canterai		tu	avrai cantato
egli	canterà		egli	avrà cantato
noi	canteremo		noi	avremo cantato
voi	canterete		voi	avrete cantato
essi	canteranno		essi	avranno cantato

Modo congiuntivo

	PRESENTE			PASSATO
che io	canti		che io	abbia cantato
che tu	canti		che tu	abbia cantato
che egli	canti		che egli	abbia cantato
che noi	cantiamo		che noi	abbiamo cantato
che voi	cantiate		che voi	abbiate cantato
che essi	cantino		che essi	abbiano cantato

	IMPERFETTO			TRAPASSATO
che io	cantassi		che io	avessi cantato
che tu	cantassi		che tu	avessi cantato
che egli	cantasse		che egli	avesse cantato
che noi	cantassimo		che noi	avessimo cantato
che voi	cantaste		che voi	aveste cantato
che essi	cantassero		che essi	avessero cantato

Modo condizionale

	PRESENTE			PASSATO
io	canterei		io	avrei cantato
tu	canteresti		tu	avresti cantato
egli	canterebbe		egli	avrebbe cantato
noi	canteremmo		noi	avremmo cantato
voi	cantereste		voi	avreste cantato
essi	canterebbero		essi	avrebbero cantato

Modo imperativo

	PRESENTE
	canta
	canti
	cantiamo
	cantate
	cantino

Modo gerundio

PRESENTE	cantando
PASSATO	avendo cantato

Modo participio

PRESENTE	cantante
PASSATO	cantato

Modo infinito

PRESENTE	cantare
PASSATO	avere cantato

Forma attiva e forma passiva

MEMO

Frase attiva:	**Frase passiva:**
il soggetto compie l'azione, il verbo della frase è di forma attiva:	il soggetto subisce l'azione, il verbo della frase è di forma passiva:
Il Sole illumina la Terra.	La Terra è illuminata dal Sole.

1 Trasforma le frasi e cambia il verbo dalla forma attiva alla forma passiva.

I contadini ——arano——→ i campi.

I campi ←—— sono arati —— dai contadini.

• L'insegnante detta la poesia.

La poesia ←—— .... —— dall'insegnante.

• L'autista guidava lo scuolabus.

Lo scuolabus ←—— .... —— dall'insegnante.

• L'avvocato difese l'imputato.

L'imputato ←—— .... —— dall'avvocato.

• Il fiume Arno bagna la città di Firenze.

La città di Firenze ←—— .... —— dal fiume Arno.

2 Indica se le seguenti frasi sono attive A o passive P, poi sottolinea di blu i verbi di forma attiva e di rosso i verbi di forma passiva.

• Il pittore ha completato il disegno. ☐
• La campanella fu suonata dalla bidella. ☐
• Le bambole erano vestite dalla bambina. ☐
• Romolo fondò Roma. ☐
• I cespugli nascondevano un ponticello. ☐

• Le ciambelle sono state guarnite da me. ☐
• Il cane ha strappato la tenda. ☐
• La casa è stata progettata dall'architetto. ☐
• La foca nutre i piccoli. ☐
• L'incendio aveva bruciato il bosco. ☐

3 Scrivi 3 frasi di forma attiva e 3 frasi di forma passiva.

Il soggetto compie l'azione	Il soggetto subisce l'azione
• Il gatto	• Il gatto ....
• La zia	• La zia ....
• Il fioraio	• Il fioraio ....

Dalla forma attiva alla forma passiva

MEMO

Forma attiva:　Filippo <u>comprò</u> gli sci.

soggetto　compl. oggetto

Forma passiva:　Gli sci <u>furono comprati</u> da Filippo.

soggetto　compl. d'agente

---

1 Cerchia il complemento d'agente (o di causa efficiente) e trasforma le frasi dalla forma passiva alla forma attiva.

- Gli abiti sono stati confezionati dalla sarta.

....

- Le foglie erano sollevate dal vento.

....

- L'uragano fu scatenato dal dio Nettuno.

....

- La spiaggia fu invasa dall'alta marea.

....

 **CONSIGLIO**

Se l'agente è inanimato, si chiama complemento di causa efficiente.

2 Sottolinea di rosso le frasi attive e di blu le frasi passive. Poi sul quaderno trasforma le frasi attive in passive e viceversa.

- Yasmine ritagliava il cartoncino.
- Il problema è spiegato dalla maestra.
- Ho raccolto l'insalata nell'orto.

- Il contratto sarà stipulato da me.
- I fiori erano mossi dal venticello.
- L'albero è stato colpito dal fulmine.

3 Colora solo le voci verbali di forma passiva.

Ero andato	Ha creduto	Sono mangiate
Furono visti	È partita	Siamo stati interrogati
Sono andati	Era corsa	È stata scritta
È stato fatto	Ho comprato	È uscita

La forma riflessiva

1 Coniuga la forma riflessiva, poi completa.

Io mi alleno. → Io alleno me stesso.

- Tu ti .... → ....
- Egli .... → ....
- Noi .... → ....
- Voi .... → ....
- Essi .... → ....

MEMO

Forma riflessiva

Giulia si veste. →
Giulia veste se stessa.

2 Completa le frasi come nell'esempio.

Il taxi (fermò se stesso) si fermò allo stop.

- La mamma (punse se stessa) .... con una spina.
- Io (bruciai me stesso) .... con l'olio bollente.
- Il nuotatore (allena se stesso) .... ogni giorno.
- Io e il mio amico (prepariamo noi stessi) .... per il campeggio.
- Perché non (sedete voi stessi) .... sull'altro divano?
- Devo (asciugare me stesso) .... altrimenti prenderò un raffreddore.

3 Scrivi alcune azioni usando il verbo alla forma riflessiva.

- Io mi sveglio. ....
- Io ....
- Io ....

- Io ....
- Io ....
- Io ....

4 Cerchia la frase che non ha il verbo alla forma riflessiva.

- Il cuoco si ferì alla mano.
- Il cane si nascondeva sotto il tavolo.
- Il gatto si lecca la coda.
- Ti vedi bella?
- Ci siamo iscritti a scuola.

il CONSIGLIO

Il verbo è di forma riflessiva **solo se** i pronomi personali mi, ti, si, ci, vi **hanno funzione di complemento oggetto e coincidono con il soggetto.**

5 Con ciascun verbo scrivi sul quaderno una frase alla forma attiva e una alla forma riflessiva. Segui l'esempio.

truccare • pettinare • alzare • bagnare

Lei trucca l'attrice (f. attiva) / **Lei si trucca con la cipria.** (f. riflessiva)

I verbi impersonali

I **verbi impersonali** non hanno soggetto e si usano solo alla 3ª persona singolare. Spesso indicano i **fenomeni atmosferici**:

Piove e **fa** freddo!

Si usano in forma impersonale anche alcuni verbi e locuzioni:

Capita a tutti di sbagliare!   **È vietato** fumare.   **Occorre** sbrigarsi!

1 Cerchia i verbi impersonali.

- Tuona e grandina da un quarto d'ora.
- Quando albeggiò iniziammo la discesa.
- Occorre studiare di più!
- Bisognerebbe essere sempre prudenti.
- Temevo che nevicasse.
- È utile portare con sé l'abbonamento.
- A causa dello sciopero sarebbe stato opportuno fare benzina.
- Capiterà spesso che dormiate qua.
- Lampeggiava in lontananza.

2 Scrivi una frase con i seguenti verbi.

- annuvolarsi ....
  ....
- fare freddo ....
  ....
- diluviare ....
  ....
- succedere ....
  ....
- essere permesso ....
  ....

3 Trasforma le forme personali sottolineate in forme impersonali e riscrivi la frase.

🖉 <u>Tutti sanno</u> che l'anno prossimo sarà bisestile.
Si sa che l'anno prossimo sarà bisestile.

- <u>La gente va</u> in Cina per imparare la lingua.
  ....

- Avete deciso? <u>Andiamo</u> o <u>non andiamo</u>?
  ....

- Le cose non sono così semplici come <u>pensiamo</u>.
  ....

- In quel locale <u>mangiamo</u> il pesce e <u>spendiamo</u> poco.
  ....

il CONSIGLIO

Tutti i verbi si possono usare in forma impersonale:
pronome si + verbo alla 3ª sing.

Si dice → tutti dicono, la gente dice.

4 Scrivi sul quaderno una frase in forma personale e una in forma impersonale con i verbi ricordare, raccontare, scrivere.

I verbi servili

MEMO

Dovere, potere, volere, pur avendo un significato proprio, sono detti servili quando accompagnano un altro verbo **all'infinito**:

Dovevo **partire**.   Potrei **parlare**?   La nonna vuole **riposare**.

I verbi potere, volere, dovere + **infinito** formano un **unico predicato**.

---

1 Completa le frasi con un verbo servile, poi cerchia tutto il predicato.

Oggi voi ⟨dovete studiare⟩ molto.

- Tu .... prenotare i biglietti, altrimenti finiscono!
- Andrea non .... sopportare il freddo.
- Noi .... comprare un CD, ci accompagni?
- In macchina .... allacciare sempre le cinture.
- .... giocare con me?
- Non .... dire niente, sciuperei la sorpresa!

2 Sottolinea i verbi servili.

- Vorrei parlare prima con Linda.
- Non potrò accompagnare mia sorella dal dottore.
- Devi avvertire la mamma.
- Vorrei comprare un chilo di susine.
- Vuole acquistare un computer nuovo.
- Marilena è allergica ai molluschi, quindi non può mangiare le cozze.

- Devo portare il gatto dal veterinario.
- Puoi consegnare questo pacco ai tuoi nonni?
- Mi dispiace, non posso venire.
- Elisa dovrà studiare tutto il pomeriggio.
- Puoi aiutarmi a spostare il tavolo?
- Quest'estate voglio fare un bel viaggio in Francia.

3 Sottolinea di blu dovere, potere, volere quando hanno significato proprio e di rosso quando sono verbi servili.

- Alessio vuole dormire fino a mezzogiorno.
- Vorrei un chilo di susine.
- Ti ricordi la scommessa? Mi devi una pizza.
- Posso prendere la tua bicicletta?
- Devi consegnare queste rose.
- Non ne posso più delle tue scuse!

- Loro volevano dei dolci al cioccolato.
- Non potreste fare silenzio?
- Domani Paolo dovrà tagliare l'erba.
- Grazie per l'invito ma oggi non posso.
- Vorremmo chiedere un'informazione.
- Ti devo qualcosa?

I verbi fraseologici

> **MEMO**
>
> ### Verbi fraseologici
>
> Pur avendo un significato proprio, accompagnano un verbo di solito al modo **infinito** o **gerundio** (talvolta uniti anche da una preposizione), precisando come si svolge l'azione.
> Essi esprimono:
>
> - un'azione che sta per iniziare → Laura comincia a camminare.
> - un'azione in svolgimento → Sto arrivando.
> - un'azione che termina → Ha smesso di piovere.

1 Sottolinea i verbi fraseologici e cerchia la preposizione quando c'è. Scrivi accanto quale modo indefinito accompagnano.

✎ <u>Stanno(per)andare alla celebrazione.</u>   infinito

- L'attore finì di recitare. ....
- Stiamo partendo in questo istante. ....
- Stavano per telefonare. ....
- Mia cugina sta iniziando la dieta. ....
- Di che cosa state discutendo? ....
- Cominciavo a preoccuparmi per il ritardo. ....

2 Nelle coppie di frasi sottolinea i verbi usati come verbi fraseologici.

- Un turista stava in attesa al centro della piazza./L'agente stava domandando che cos'era accaduto.
- L'avvocato finì di parlare./Quelle persone hanno finito un lavoro di gruppo.
- La scuola comincia domani./I pianisti cominciarono a suonare il brano.
- Il presidente sta per raggiungere l'assemblea./Noi stiamo in bilico sulla scala.

3 Con ciascuna voce verbale scrivi due frasi: una dove il verbo ha significato proprio P e una dove il verbo è usato come verbo fraseologico F.

P smettere ....

F smettere ....

P cominciare ....

F cominciare ....

P stare ....

F stare ....

RIPASSIAMO

in sintesi

Le forme del verbo (1)

Verbi transitivi	Verbi intransitivi	Forma attiva, passiva, riflessiva
Tu sfogli un giornale.	Laura nuota in piscina.	Io lavo il cane. Il cane è lavato da me. Io mi lavo.

1 Indica se il verbo è transitivo ☐ T o intransitivo ☐ I . Poi scrivi una frase con un'espansione diretta o indiretta.

☐ bere ....

☐ planare ....

☐ chiudere ....

☐ venire ....

☐ sorridere ....

☐ posteggiare ....

☐ rompere ....

☐ sorgere ....

2 Scrivi accanto a ogni frase se il verbo è usato in forma transitiva ☐ T o intransitiva ☐ I .

☐ Quella bambina <u>riflette</u> poco.

☐ Lo specchio <u>riflette</u> l'immagine.

☐ <u>Ho spuntato</u> i capelli.

☐ <u>Spuntano</u> le prime margherite.

3 Quando è possibile trasforma le frasi attive in passive; quando non è possibile segna una ✗.

☐ Agnese aiuta la mamma in cucina.

....

☐ La neve aveva ostruito il sentiero.

....

☐ Gli alunni telefonarono alla maestra per salutarla.

....

4 Per ogni frase indica se il verbo è di forma attiva ☐ A passiva ☐ P o riflessiva ☐ R .

☐ Mia sorella si pettina ogni minuto!

☐ Il medico è corso dal paziente.

☐ Noi ci siamo presentati al direttore.

☐ Cesare era lodato dai soldati per il suo valore.

☐ Due navi da crociera sono salpate da Genova.

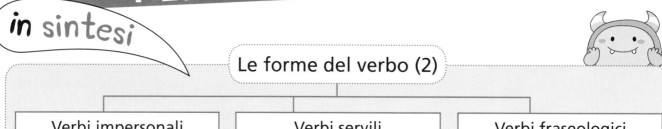

Le forme del verbo (2)

Verbi impersonali	Verbi servili	Verbi fraseologici
Piove. Sembra che...	Devo fare i compiti.	Sto arrivando.

5 Segna con una **X** le frasi con il verbo impersonale.

☐ Si prende un tandem e si fa il giro della pineta?

☐ Da sempre si narra che Pinocchio fosse un burattino dispettoso.

☐ Per vedere dei risultati occorre una buona preparazione.

☐ Quei due ragazzi si credono superiori a tutti.

☐ Che tempaccio! Tuona e lampeggia.

☐ Gli attori si cambiarono immediatamente gli abiti di scena.

6 Scrivi una frase con ogni verbo in forma impersonale.

- Conviene ....
- Accadde ....
- Bisognerebbe ....
- Si sospettava ....

7 Scrivi due frasi con ogni verbo servile.

- Dovere ....

  ....
- Potere ....

  ....
- Volere ....

  ....

8 Scrivi una frase con ogni verbo fraseologico.

- (continuare a) ....
- (smettere di) ....
- (stare per) ....
- (finire di) ....

Gli avverbi

Avverbi:
modificano il significato
di un verbo, di un aggettivo
o di un altro avverbio.

Isa <u>beve</u> un succo.
↓
Isa <u>beve</u> volentieri un succo.

MEMO

- di modo: bene, male, volentieri, lentamente...
- di tempo: oggi, domani, ieri, sempre...
- di luogo: qui, là, lì, vicino, lontano, fuori...
- di quantità: tanto, poco, troppo, assai, molto...
- di affermazione, negazione, dubbio: sì, no, forse...
- interrogativi: perché?, quando?, come?...

1 Sottolinea gli avverbi nelle frasi e indica di quale avverbio si tratta:
M modo, T tempo, L luogo, Q quantità, A affermazione, D dubbio, N negazione.

☐ Adesso ho un appuntamento.

☐ Non volevano partecipare.

☐ L'usignolo cantava dolcemente.

☐ Verrò sicuramente a casa tua.

☐ Forse visiterò quel museo.

☐ Questa bicicletta sportiva costa assai!

☐ Carlo mi ha risposto di sì!

☐ Ai giardinetti ti ho cercato tanto.

☐ La mamma tornerà tardi.

☐ Laggiù sostano i camper.

2 Trasforma i seguenti aggettivi
in avverbi di modo. Poi scrivi
sul quaderno una frase con ciascun
avverbio.

- saggio ....
- comodo ....
- diverso ....
- gentile ....
- allegro ....
- pigro ....

3 Nelle frasi inserisci l'avverbio richiesto.

- Tu in italiano sei (<u>quantità</u>) .... bravo.
- La commessa è (<u>tempo</u>) .... gentile.
- Questo sugo (<u>negazione</u>) .... è poco.
- (<u>interrogativo</u>) .... state?
- Con l'auto sportiva sfrecci (<u>modo</u>) ....

4 Sostituisci con un avverbio le locuzioni avverbiali
sottolineate.

- Camminavo <u>a passo d'uomo</u>. ....
- Lui si alzò <u>di buon'ora</u>. ....
- <u>In men che non si dica</u> scomparve! ....
- Peserà <u>all'incirca</u> tre chili. ....
- Arrivai <u>in un batter d'occhio</u>. ....

MEMO

Le **locuzioni avverbiali** sono
gruppi di parole che hanno la
stessa funzione dell'avverbio.

Senza dubbio (indubbiamente)
era colpevole!

Le congiunzioni

1 Sottolinea di rosso le congiunzioni e di nero le parole che sono collegate dalla congiunzione.

✎ Mi piacciono i <u>dolci</u> e i <u>gelati</u>.

- Non partiamo sabato ma domenica.
- È molto allegro, quindi simpatico!

2 Sottolinea di rosso le congiunzioni e di nero le frasi che sono collegate dalla congiunzione.

- Sono caduta e ho battuto il ginocchio.
- Ti vedrò stasera oppure vieni domani?
- Il cielo è nuvoloso, tuttavia non piove.

3 Completa le frasi con una congiunzione adatta. Scegli fra quelle elencate.

tuttavia • e • prima che • sebbene • anzi • perché • quando
• purché • mentre • nonostante che • o • neppure

- Non hai .... chiesto sue notizie!
- I sondaggi lo davano perdente .... ha vinto.
- Giacomo suona il flauto .... sia ora di uscire.
- L'autostrada è stata chiusa .... c'era una fitta nebbia.
- Metterò in ordine le mie fotografie .... torni la mamma.

4 Sottolinea le congiunzioni e concludi le frasi.

- Sono molto stanco, perciò ....
- Preferisci un panino oppure ....?
- I miei corrispondenti di Londra mi hanno scritto se ....
- Gli ho telefonato ma ....
- Papà e mamma sono arrivati alla recita quando ....

5 Tieni conto delle diverse congiunzioni e completa le frasi.

Il nonno ha bisogno di riposo	<u>perché</u> ....
	<u>inoltre</u> ....
	<u>infatti</u> ....

Le tue scarpe sono belle	<u>e</u> ....
	<u>tuttavia</u> ....
	<u>pertanto</u> ....

Mangerei una torta	<u>oppure</u> ....
	<u>ma</u> ....
	<u>perché</u> ....

Le preposizioni

Preposizioni semplici	Preposizioni articolate
di, a, da, in, con, su per, tra, fra	preposizione semplice + articolo determinativo del (di + il) della (di + la) alle (a + le) negli (in + gli)...

1 Completa le frasi con le preposizioni semplici o articolate adatte, poi sottolineale con colori diversi.

- Alla fine .... spettacolo andremo al ristorante.
- Le camicie sono .... un cassetto o .... armadio?

- Vicino .... casa, ... lati della strada, c'è un fosso.
- La neve cadde .... tutto il giorno.
- Ecco l'attrezzatura .... sub!

2 Completa con le preposizioni semplici o articolate adatte.

Sono tornato
- .... montagna.
- .... casa.
- .... prendere le chiavi.
- .... gli amici.
- .... stesso ufficio.

3 Collega le diverse espressioni alla definizione corretta. Poi scrivi sul quaderno una frase con ogni espressione.

- tazza <u>di</u> tè   tazza adatta alla bevanda
- tazza <u>da</u> tè   tazza piena di tè

- pianta <u>da</u> serra   pianta da coltivare in serra
- pianta <u>della</u> serra   una tra le piante della serra

4 Sottolinea le preposizioni improprie e cerchia gli avverbi.

- Metti la sedia sotto il tavolo.
- Telefonami prima di cena.
- Gianni e io siamo arrivati dopo.
- Stai dietro!
- Guardiamoci bene intorno.
- Non ti sento. Vieni vicino!

Con funzione di preposizione possono essere usati anche avverbi o aggettivi posti davanti al nome. In questo caso si dicono **preposizioni improprie**: dopo di, prima di, lontano da, vicino a, dentro, davanti, eccetto...

5 Scrivi due frasi per ogni parola: usala una volta come aggettivo A e una volta come preposizione impropria P.

A Lungo: ....

P Lungo: ....

A Vicino: ....

P Vicino: ....

pronti per la secondaria

1 Quale tra i seguenti gruppi di aggettivi contiene solo aggettivi qualificativi? Scegli con una X.

☐ grande, aperto, tranquillo, molto

☐ gradevole, largo, quanto, gelido

☐ basso, caldo, allegro, celestino

☐ meraviglioso, verde, suo, questo

2 Quale tra i seguenti gruppi di nomi contiene solo nomi derivati? Scegli con una X.

☐ ventaglio, venticello, vento, paravento

☐ libriccino, libreria, portalibri, libraio

☐ cartiera, cartolina, cartolaio, cartoleria

3 Nella seguente frase sottolinea la parola dietro di giallo quando ha funzione di preposizione, di verde quando ha funzione di avverbio.

- Cammina dietro, avanza lentamente e osserva bene la volpe dietro l'albero.

4 Nelle seguenti frasi sottolinea la parola molto di rosso quando ha funzione di aggettivo, di verde quando ha funzione di avverbio.

- Ho corso molto e perciò ero molto stanco.
- Per strada c'era molto traffico.
- Questi biscotti sono molto buoni.
- Ho aspettato molto tempo, ma non è venuto nessuno.

5 Nel seguente testo sottolinea tutti gli aggettivi e analizzali sul quaderno.

Tre giorni fa la nostra cagnolina ha partorito quattro cuccioli. Il più vivace è il maschio, le due femmine sono più tranquille: sono tutti bellissimi!

6 Nel seguente testo sottolinea tutte le voci verbali e analizzale sul quaderno.

Era un pomeriggio d'estate: Luca stava camminando sul marciapiede, quando udì un leggero miagolio provenire da sotto un'automobile. Si avvicinò e vide un gattino che tremava di paura. Avrebbe potuto prenderlo allungando una mano, ma temette che il gattino si potesse spaventare e allontanarsi sempre di più. Perciò preferì chiamarlo piano piano con un leggero "micio, micio, micio" come faceva sempre con il suo. Il gattino aveva riconosciuto forse un suono familiare e Luca lo vide sporgere la testina da sotto l'automobile, poi uscì camminando un po' incerto è si avvicinò.
L'impresa era riuscita.

7 Fai l'analisi grammaticale del testo dell'esercizio 6. I verbi li hai già analizzati, analizza tutte le altre parole.

Soggetto e predicato

MEMO

Soggetto (chi?) Pablo (tu) sogg. sottinteso	Predicato verbale (che cosa fa?) studia. Leggi.	Predicato nominale (chi è? che cos'è? com'è?) è studioso.

1 In ogni frase sottolinea il soggetto. Poi cerchia la frase con il soggetto sottinteso.

- Delle amiche di Lia abitano a Genova.
- Studiare mantiene attiva la mente.
- I giocolieri sono artisti straordinari.
- Loro sono sempre disponibili!
- Stanotte i ladri sono entrati nel garage del nonno.
- Il blu infonde tranquillità.

- Chi vuole una bibita fresca?
- Nel frigo troverete gli ingredienti.
- Qualcosa attirò la sua attenzione.
- Alla serata sono intervenuti degli ospiti stranieri.
- Giocare con gli amici è divertente.
- Quel treno è diretto a Roma.

2 Cerchia il soggetto, poi sottolinea di rosso il predicato verbale e di blu il predicato nominale.

- Lo sguardo di quella donna è dolce.
- L'Italia è uno Stato dell'Europa.
- Il medico e l'infermiera sono in ambulatorio.
- Lo zaino blu è di Mohammed.
- Noi siamo in un brutto guaio!
- I gemelli erano andati alle prove di canto.
- La notte è calda e serena.
- Gli zii sono partiti per la montagna.

MEMO

Il verbo **essere** ha valore di predicato verbale quando:
- significa stare, trovarsi, appartenere a…
- è ausiliare.

MEMO

I verbi sembrare, apparire, diventare… si dicono **verbi copulativi** quando si uniscono a un aggettivo o a un nome e formano un predicato nominale.

3 Completa i seguenti predicati nominali.

- Con il tempo i nonni <u>diventano</u> ....
- Oggi il sole <u>appare</u> ....
- Quel barboncino nero <u>sembra</u> ....
- La lucertola <u>rimane</u> ....

4 Sul quaderno scrivi una frase con ogni verbo copulativo dell'esercizio 3.

Il complemento oggetto

MEMO

Complemento oggetto o espansione diretta		
Risponde alle domande chi?, che cosa?		
Soggetto	Predicato verbale	Complemento oggetto
Amina	aprì	(che cosa?) → l'ombrello.

1 Cerchia il predicato e completa le frasi con un complemento oggetto.

• L'elettricista riparò .... in quattro e quattr'otto.

• Tutti i giorni prendo .... alla pasticceria.

• Dopo la violenta tempesta i marinai scrutavano ....

• Gli sposi hanno consegnato .... agli invitati.

• Gli operatori accompagnarono ....

2 Leggi con attenzione e sottolinea il complemento oggetto quando c'è.

• Sotto casa ho incontrato degli amici di scuola.

• Angelica studiò seriamente fino a sera.

• Il capoufficio presentò due nuovi arrivati.

• La luce della lampadina è troppo fioca.

• Vuole del tè o del caffè?

• Lo spettacolo dei delfini divertì tutto il pubblico.

il CONSIGLIO

Il complemento oggetto può essere introdotto dalle preposizioni del, dello, della, dei... con valore partitivo (un po' di, alcuni...).

3 Cerchia solo i predicati che possono reggere il complemento oggetto. Poi scrivi sul quaderno una frase con ogni predicato.

ispezionare • fiorire • sogghignare • borbottare • interpretare • sprofondare • incontrare

4 Scrivi sul quaderno tre frasi in cui dei introduce un complemento oggetto.

5 Cerchia il complemento oggetto quando c'è.

• Le tue cugine sono simpatiche: le ho invitate alla mia festa.

• L'ho rivisto ieri dopo un mese.

• Mi chiami dopo?

• Ecco le fragole, le vuoi assaggiare?

• Tutti la reclamano!

MEMO

I pronomi lo, la, li, le, mi, ti... possono avere funzione di complemento oggetto.

I complementi di termine e di specificazione

1 Completa con un complemento di termine (a chi?, a che cosa?).

✏️ Tuo fratello è identico <u>al direttore.</u>

- Lui portò un pacco ....
- Il tempio era dedicato ....
- Tu hai un fisico adatto ....
- Il cane è fedele ....
- .... piace molto la torta al cioccolato.

2 Completa con un complemento di specificazione (di chi?, di che cosa?).

- La luce .... era accecante.
- Anita è la sorella ....
- Io leggo i romanzi ....
- Gli abitanti .... sfilano in corteo.
- La marmellata .... è aspra.
- La zia .... è una dentista bravissima.

3 Completa con un complemento di termine ☐T o di specificazione ☐S e indica la tua scelta.

✏️ Tu credi sempre <u>a tutti.</u> ☐T

- La tata deve badare .... ☐
- La neve ricoprì l'auto .... ☐
- Le ali .... sono variopinte. ☐
- L'hard-disk .... è rotto. ☐
- Hai telefonato .... ☐

4 Sottolinea di blu il complemento di specificazione e di rosso il complemento di termine.

- Un tempo i sudditi ubbidivano al re.
- Ti ricordi di me? Telefonai al tuo papà martedì scorso.
- I vicoli del paesino sono affascinanti.
- Questo quaderno di storia è tuo?
- Il signor Bruno è il più bravo calzolaio della città.
- A merenda ho mangiato una bella fetta di torta.

5 Indica la funzione dei pronomi personali e delle particelle pronominali e scrivi se si tratta di complemento oggetto (C.O.) o di complemento di termine (C.T.).

✏️ Ti telefonerò. <u>Telefonerò a te (C.T.)</u>

- Le ho detto sì. ....
- Chiamami. ....
- Non dargli retta. ....
- Prestaci una penna. ....
- L'ho sgridato. ....
- Ci ha salutate. ....
- Mi ha spinto. ....

MEMO

I pronomi personali lo, la, le, gli, e le particelle pronominali mi, ti, si, ci, vi possono avere valore di **complemento oggetto** (C.O.) o di **complemento di termine** (C.T.).

lo	la	gli	le		ci	
↓	↓	↓	↙	↘	↙	↘
lui	lei	a lui	lei	a lei	noi	a noi
C.O.	C.O.	C.T.	C.O.	C.T.	C.O.	C.T.

I complementi di luogo, di tempo e di modo

1 Sottolinea il complemento di luogo e segna con una X a quale domanda risponde.

	Dove?	Da dove?	Attraverso (per) dove?	Verso dove?
Il treno per Parigi partì in ritardo.				
L'esploratore proveniva dal fiume.				
A Pasqua partiamo per le Antille.				
La mulattiera passa da un bosco di faggi.				
Adoro leggere sul divano.				

2 Completa le frasi con un complemento di luogo (dove?, da dove?...).

- Io e Jenny siamo diretti ....
- Quel rumore proviene ....
- Il mio papà lavora ....
- Tu ritornavi ....
- I fantasmi passano ....
- I bambini correvano ....

3 Sottolinea il complemento di tempo e scrivi a quale domanda risponde (quando?, per quanto tempo?, da quanto tempo?).

- Ti richiamo tra due minuti! ....
- Ho dormito tre ore. ....
- Luke vive in Italia da un anno. ....
- Ho camminato tutto il giorno! ....
- Le ho parlato proprio ieri. ....
- Da anni studio astronomia. ....

4 Sul quaderno scrivi delle frasi con i seguenti complementi di tempo.

per tutto il giorno • domani • a dicembre • da pochi mesi

5 Completa con un complemento di modo (come?, in che modo?).

✎ Il nonno si muove **lentamente / con difficoltà.**

- Pensai .... alle vacanze estive.
- La sorellina lo guardava ....
- I giornalini sul tappeto son tutti ....

6 Sottolinea i complementi: di rosso → luogo, di blu → tempo, di verde → modo.

Le mie cugine sono arrivate ieri da Venezia. La zia le aspettava con ansia.

A casa abbiamo giocato allegramente per tutto il pomeriggio!

I complementi di mezzo, di fine e di causa

1 Completa con un complemento di mezzo (con che cosa?, per mezzo di chi?, per mezzo di che cosa?).

- Il contadino irriga ....
- Io salgo al sesto piano ....
- Voi andate a scuola ....
- Lui ci vede poco, legge ....
- La febbre è scesa grazie ....
- Il cuoco condisce la pasta ....

2 Scrivi delle frasi sul quaderno: utilizza le seguenti espressioni come complementi di mezzo.

in bicicletta • con gli acquerelli • tramite e-mail • a mano

3 Sottolinea il complemento di fine o scopo (per quale fine? a quale scopo?).

- Il coltello è un'arma da taglio.
- Hai preparato il materiale per il campeggio?
- Per il lavoro comprerò un nuovo computer.
- Aisha ha preparato i biglietti per la sua festa di compleanno.
- Devo studiare per il compito di domani.
- Lucas si è allenato duramente per la gara di atletica.

4 Completa le frasi: fai attenzione al complemento di causa (a causa di che cosa?, per quale motivo?).

- .... a causa del rumore.
- .... per la gioia.
- .... per il freddo.
- .... dal gran caldo.
- .... dalla paura.

5 Leggi le frasi e indica se il complemento è di fine ☐F☐ o di causa ☐C☐.

- ☐ Angela e Alice sono uscite per bere un tè.
- ☐ Ho la casa allagata per il nubifragio di oggi.
- ☐ Questo hotel è perfetto per le vacanze dei nonni.
- ☐ Quei video servono per imparare una lingua straniera.
- ☐ Il giacchino mi si è strappato per un chiodo sporgente.
- ☐ Il Vallo di Adriano fu costruito per la difesa.
- ☐ L'aereo non decollò per la fitta nebbia.
- ☐ Non rispondeva a causa del cellulare scarico.

6 Con la preposizione per scrivi sul quaderno una frase con ognuno dei complementi indicati.

fine • causa • luogo • tempo

Ancora complementi

1 Sottolinea il complemento di compagnia (con chi?) e cerchia il complemento di unione (con che cosa?).

- Mi diverto sempre a passeggiare con te.
- Aveva fame e si avviò a scuola con un panino.
- Sara ha cantato con una cantante famosa.

- Al campeggio portammo con noi le torce elettriche.
- Vai al supermercato con la mamma?
- Noi mangiamo il pesce con le patate.

2 Scrivi sul quaderno due frasi con il complemento di compagnia e due frasi con il complemento di unione.

3 Trasforma gli aggettivi usando un complemento di materia (di quale materiale?).

- Una statua lignea ....
- Una moneta metallica ....
- Una stoffa lanosa ....

4 Completa con un complemento di materia adatto.

- Ho fatto un aeroplanino ....
- Avete assaggiato la zuppa .... ?
- Al mare usiamo le poltroncine ....
- Ho un servizio di posate ....

5 Sottolinea e indica il complemento introdotto da con (modo, mezzo, compagnia).

Tu affronti le difficoltà <u>con il sorriso</u> sulle labbra. ...complemento di modo...

- La mia radio funziona con le pile. ....
- L'esercito si addentrò con fatica nella palude. ....
- La leonessa riposava con i cuccioli appena nati. ....
- Riscaldare con il forno a microonde è facile. ....

6 Sottolinea e indica il complemento introdotto da di (specificazione, causa, materia).

- Il bambino piangeva di paura per i tuoni. → ....
- È stato rinvenuto un monile di metallo. → ....
- Nell'orto dello zio ho visto una biscia! → ....
- Nei campi sentivamo il profumo di menta. → ....
- I muratori erano bagnati di sudore. → ....

7 Scrivi sul quaderno una frase con ciascuno dei seguenti complementi:

di compagnia • di modo • di specificazione • di materia

Attributo e apposizione

L'**attributo** è un **aggettivo** che accompagna il nome.

Il **cavallo** grigio	**mangiava**	la sua **biada**
↓		↓
attributo del soggetto	predicato verbale	attributo del compl. oggetto

1 Completa le frasi con l'attributo adatto.

esotiche • tua • impegnativo • spaziale • tanti • nostro

- Ecco la .... baby-sitter.
- Lia esce sempre con .... amici.
- La navicella .... atterrò.
- Il .... allenatore è giovane.
- Luca coltiva piante ....
- Il pianista eseguì un brano ....

2 Sottolinea gli attributi e analizzali come nell'esempio.

✎ **Un cerbiatto si rifugiò nel <u>fitto</u> bosco.**   **attributo del compl. di luogo**

- Cinque gattini giocavano a rincorrersi.   ....
- La lavastoviglie emetteva un sibilo fastidioso.   ....
- Mia sorella indossa dei pantaloni verdi.   ....
- Il ciuccio del piccolo bambino era caduto.   ....
- Andrea disegna con un compasso professionale.   ....

L'**apposizione** è un **nome** che accompagna il nome.

Il signor **Bianchi**	**incontra**	suo cugino **Stefano**.
↓		↓
apposizione del soggetto	predicato verbale	apposizione del compl. oggetto

3 Arricchisci la frase inserendo un'apposizione adatta ai nomi sottolineati.

Il .... <u>Uncino</u> affrontò in duello il .... <u>Peter Pan</u>
e rapì la .... <u>Trilly</u>.

4 Sottolinea le apposizioni e cerchia gli attributi.

- La dottoressa Chiari prese un piccolo cerotto.
- Calcutta, città dell'India, è molto popolata.
- Il suo orsacchiotto è un morbido peluche.
- Il poeta Virgilio scrisse l'Eneide, il suo capolavoro.
- Il ragazzo inglese legge i brani italiani.
- Il poeta Dante e il pittore Giotto erano coetanei.

La frase minima

Frase minima o **nucleare**: è formata solo dagli elementi necessari per avere un significato completo.

Tuona.	Il cane abbaia.	La nonna ha fatto la spesa.
predicato	soggetto predicato	soggetto predicato complemento

1 Sottolinea le frasi minime.

- Il pubblico acclamò i musicisti.
- Come sempre Maia sogna a occhi aperti!
- Stamattina piove a scroscio.
- Il direttore ha convocato una riunione.

- Sulla vetta nevicava da giorni.
- L'ombrello appartiene a Mirco.
- Il pasticciere preparò due crostate.
- La bambina pianse per la rabbia.

2 Per ogni predicato scrivi una frase con gli elementi necessari a dare un senso compiuto. Completa solo le colonne necessarie.

Verbo	Soggetto	Predicato	Elemento obbligatorio	Elemento obbligatorio
correre	Il podista	corre.	–	–
assegnare	La maestra	assegna	i compiti.	
controllare	Il custode	controlla	l'ingresso	del palazzo.
togliere				
ruggire				
nuotare				
fare				
aprire				
fischiare				
porgere				

3 Nelle seguenti frasi cancella gli elementi non necessari. Poi sul quaderno analizza le frasi minime come nell'esempio.

La mamma riceve gli ospiti ~~in soggiorno.~~
La mamma riceve gli ospiti.   → Sogg. + Predicato + Compl. oggetto

- La professoressa corregge i compiti di scienze.
- La bandiera sventola sul pennone.
- I pagliacci regalano sempre i palloncini ai bambini.
- Io risposi alle domande con facilità.

La frase semplice
e la frase complessa

Frase semplice (o proposizione): ha **un solo predicato**.	Frase complessa (o periodo): ha **due o più predicati**.
Matilde gioca a carte.	Matilde gioca a carte e Viola ascolta la musica.

MEMO

1 Unisci le frasi semplici con una congiunzione
e forma una frase complessa.

🖉 **Il nonno è triste. Il televisore è guasto.**
Il nonno è triste perché il televisore è guasto.

• Abbiamo prenotato i biglietti. Lo spettacolo è stato rinviato.

....

• Non riusciva a parlare. Aveva mal di gola. Prese uno sciroppo.

....

2 Sottolinea i predicati e indica se si tratta di una frase semplice ☐S☐ o complessa ☐C☐.

☐ Lucia è andata al corso di canto.

☐ Il giornalista scrive e legge ogni giorno.

☐ Mi racconti il film che hai visto ieri?

☐ Pinocchio seminò le monete d'oro
ma il Gatto e la Volpe le rubarono.

☐ Il mio cucciolo non sta mai fermo:
corre in casa e fa i salti in giardino.

☐ Ho ritardato a causa del traffico, poi
mi sono fermato dal fruttivendolo.

☐ Hanno fatto una doccia bollente.

3 Trasforma le seguenti frasi complesse in frasi semplici come nell'esempio.

🖉 **Sono rientrato perché pioveva.**   Sono rientrato .....per la pioggia.......

• Arriverò dopo aver lavorato.   ....

• Nonostante avessi caldo, rimasi in fila.   ....

4 Trasforma le seguenti frasi semplici in frasi complesse come nell'esempio.

🖉 **Per la fretta si dimenticò il messaggio.**
Poiché aveva fretta si dimenticò il messaggio.

• Ci penserò dopo il pranzo.

....

• I bambini si addormentarono per la stanchezza.

....

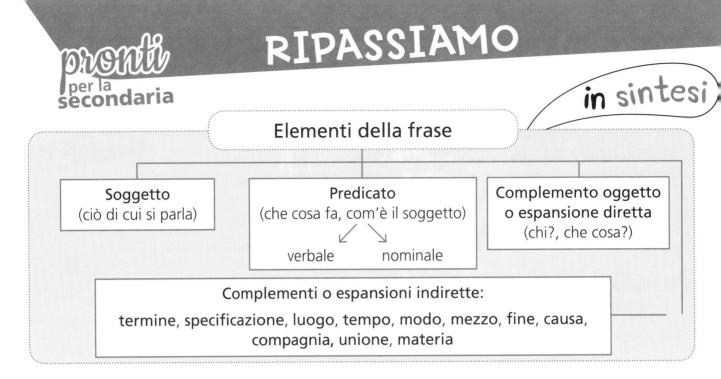

Elementi della frase

Soggetto (ciò di cui si parla)	Predicato (che cosa fa, com'è il soggetto) verbale nominale	Complemento oggetto o espansione diretta (chi?, che cosa?)

Complementi o espansioni indirette:

termine, specificazione, luogo, tempo, modo, mezzo, fine, causa, compagnia, unione, materia

1 Nel brano cerchia i soggetti, sottolinea di rosso i predicati verbali e di blu i predicati nominali.

È novembre. I salici sono tutti spogli e l'acqua è fredda come il ghiaccio. Proprio sulla riva di questo stagno il nostro ranocchio aveva cominciato a gracidare la scorsa primavera. Ha trovato la sua compagna. La ranocchia ha deposto un gran numero di uova nell'acqua. Dopo qualche settimana migliaia di piccoli hanno popolato lo stagno. Per il nostro ranocchio è stata un'estate splendida. Presto cadrà la prima neve. Il ranocchio cerca un luogo riparato e tranquillo in cui trascorrere l'inverno.

Susanne Riha, *Arrivederci a primavera*, Editrice Piccoli

2 Fai l'analisi dei complementi sottolineati nelle frasi. Scrivi il complemento e la domanda che lo introduce.

	Complemento	Domanda
La zia Clotilde ha chiacchierato <u>per due ore</u>!	....	....
<u>La domenica pomeriggio</u> i negozi sono aperti.	....	....
La mamma mi ha comprato gli stivali <u>di gomma</u>.	....	....
Hai trovato il casco <u>di Giovanni</u>?	....	....
Pioviggina, esco <u>con il cappello</u>.	....	....
Il ragno tesse i <u>fili sottili</u>.	....	....
Le dee greche litigavano tra loro <u>per la gelosia</u>.	....	....
Non dir<u>ci</u> che cosa dobbiamo fare!	....	....
I musicisti provano <u>per il concerto</u> di fine anno.	....	....
Cercavano Daniele e <u>l'</u>ho avvisato.	....	....
Il gatto è passato <u>dal balcone</u>.	....	....

RIPASSIAMO

3 Arricchisci i nomi con un'apposizione.

- Il........................... Olimpo era la dimora degli dèi.
- Tua .... Silvia va ancora all'asilo.
- In gita abbiamo visitato il .... del Louvre.
- Il .... Tevere attraversa la .... di Roma.
- L' .... "chiaro" è sinonimo di "limpido".
- Lei è Serena, la .... del mio compagno di squadra.

4 Sottolinea di rosso gli attributi e di blu le apposizioni.

- Il dio Nettuno scatenava forti tempeste.
- Un forte terremoto ha colpito la città di Tokyo, in Giappone.
- Ho scattato delle belle foto con la fotocamera dello zio Piero.

- Lo scultore Michelangelo scolpì quella statua marmorea.
- Il letto di mio fratello ha le doghe.
- Il treno Freccia Rossa è stato bloccato da un grosso masso sui binari.

5 Leggi la frase, poi indica con una ✗ l'affermazione esatta.

- Il maghetto Harry Potter combatte un malvagio e crudele personaggio.

  ☐ Ci sono un attributo e un'apposizione.   ☐ Ci sono due attributi e due apposizioni.
  ☐ Ci sono due attributi e un'apposizione.   ☐ Ci sono un attributo e due apposizioni.

6 Leggi con attenzione e dividi le frasi complesse in frasi semplici, come nell'esempio.

✎ James ha una raccolta di fumetti / che tiene nella sua libreria.

- Avendo trovato la soffitta in disordine, capii che c'erano stati i bambini.
- La mamma ha deciso che ci manderà in un college per studiare l'inglese.
- Ti presto il monopattino se mi prometti di riportarmelo domani.
- Venerdì uscirò presto dall'ambulatorio e passerò da casa dei miei genitori.

7 Scrivi sul quaderno una frase minima con ciascuno dei seguenti predicati.

tossire • separare • cantare • dirigere

8 Scegli con una ✗ la frase complessa.

☐ Non ho tolto le erbacce perché ero stanco.
☐ Ho rivelato un segreto al mio migliore amico.

71

I linguaggi settoriali

1 Scrivi a quale linguaggio settoriale appartiene ogni testo e sottolinea le parole che te lo fanno capire. Scegli tra:

linguaggio medico • linguaggio dell'astronomia
linguaggio informatico • linguaggio musicale

- L'atmosfera esterna del Sole si chiama "corona". È visibile durante un'eclissi totale o con il coronografo.

....

- La chitarra è uno strumento musicale a corda sul quale è possibile eseguire arpeggi, assoli e accordi.

....

- L'hardware è la parte fisica del computer, mentre il software è l'insieme dei programmi.

....

- La colonna vertebrale è il supporto del corpo. Si divide in 5 regioni: cervicale, toracica, lombare, sacrale, coccigea.

....

2 Collega le parole proprie dei vari linguaggi settoriali alle corrispondenti parole del linguaggio comune.

Linguaggio settoriale	Linguaggio comune
sanzione	persistente
rinite	tassa
tributo	maltempo
istanza	cura
terapia	raffreddore
onere	richiesta
perturbazione	punizione
cronico	obbligo

il CONSIGLIO

Aiutati con il dizionario!

3 Scrivi sul quaderno quali significati assumono le seguenti parole nei linguaggi settoriali indicati.

articolo
- linguaggio grammaticale
- linguaggio giornalistico

vertice
- linguaggio comune
- linguaggio geometrico

batteria
- linguaggio comune
- linguaggio sportivo
- linguaggio musicale

4 Sul quaderno spiega il significato delle parole sottolineate che il linguaggio comune ha ripreso dai diversi linguaggi settoriali.

- I prezzi della frutta sono stratosferici.
- Il mio stipendio è al collasso.
- Mi hai preso in contropiede!
- Serve una terapia d'urto contro la pigrizia!

Il linguaggio figurato

1 Osserva i modi di dire sottolineati e cerchia il significato corrispondente. Segui l'esempio.

✎ Giovanni ha le <u>mani bucate</u>.   (Spende molti soldi.)   Gli cade tutto di mano.

- Loro <u>si presero gioco</u> di me.   Presero i miei giochi.   Mi presero in giro.
- Marina <u>ha la testa tra le nuvole</u>.   È alta.   È distratta.
- Il tuo libro <u>è cartastraccia</u>.   È inutile.   È sciupato.
- Lo zio <u>è la colonna</u> della famiglia.   È importante per la famiglia.   È robusto.
- Patrizia <u>ha una buona cera</u>.   Ha una cera di qualità.   Ha un bell'aspetto.
- Il cantante <u>è sulla cresta dell'onda</u>.   Ha un grande successo.   Sa nuotare bene.

2 Spiega il significato delle seguenti espressioni metaforiche con le parole occhio e orecchio.

✎ A Gian Burrasca serviva una bella <u>tirata d'orecchie</u>: ___un rimprovero___

- Certe volte mi sembri un po' <u>duro d'orecchie</u>: ....
- Le tue lamentele mi <u>entrano da un orecchio e mi escono dall'altro</u>: ....
- Quel tipo fa sempre <u>orecchie da mercante</u>: ....
- <u>A occhio e croce</u> ci saranno due chilometri: ....
- <u>Occhio</u> allo stop!: ....
- Certi ragazzi vanno <u>tenuti d'occhio</u>: ....
- Ne discutiamo <u>a quattr'occhi</u>: ....

3 Per ogni parola scrivi una frase con il significato letterale e una con quello figurato.

- corda _____
- montagna _____
- luna _____
- argent _____

il CONSIGLIO

Sul dizionario trovi i significati figurati di una parola preceduti dall'abbreviazione fig.

4 Sul quaderno utilizza i nomi di questi animali per scrivere una frase con il significato letterale e una con quello figurato.

leone • volpe • coniglio

Le parole straniere

MEMO

Molte **parole straniere** fanno parte del nostro uso quotidiano e sono registrate sul dizionario. Per alcune parole esiste una corrispondente parola o espressione in italiano:

Vorrei un croissant. → Vorrei un cornetto.

1 Inserisci nella tabella le seguenti parole straniere secondo la loro origine.

taxi • menu • file • outlet • abat-jour • musical • bidet
gilet • relax • roulotte • camping • freezer • tailleur • record
garage • week-end • parquet • mouse • meeting

il CONSIGLIO

Se hai dei dubbi, consulta il dizionario.

Origine francese		Origine inglese	
....	....	....	....
....	....	....	....
....	....	....	....
....	....	....	....
....	....	....	....

2 Scrivi una frase con ciascuna coppia di parole derivate dalla lingua tedesca.

● speck / würstel ....
● krapfen / strudel ....

3 Per ognuna di queste parole straniere scrivi la corrispondente parola italiana.

● show: ....
● toilette: ....
● match: ....
● boxe: ....

● leader: ....
● boutique: ....
● basket: ....
● football: ....

4 Scrivi una frase con ogni parola straniera.

● taxi ....
● scooter ....
● kebab ....
● sushi ....

Prefissi e suffissi

MEMO

Si possono fabbricare parole nuove con l'aggiunta di **prefissi** e di **suffissi**:

forno → fornaio → infornare

radice **suffisso** prefisso radice **suffisso**

1 Per ogni parola scrivi una derivata e il suffisso che hai usato.

Parole	Parole derivate	Suffisso
ghiaccio	....	....
strada	....	....
polmone	....	....

Parole	Parole derivate	Suffisso
tennis	....	....
veloce	....	....
candela	....	....

2 Nelle frasi riconosci le parole derivate, sottolinea il prefisso e scrivi il significato.

Bisogna <u>ri</u>fare la piantina della classe.   fare di nuovo

- Abbiamo ricevuto un preavviso di pagamento.   ....
- Sei troppo disattento!   ....
- Il giudice incarcerò dei banditi.   ....
- L'acqua ha scolorito la tinteggiatura.   ....
- Oggi la maestra era scontenta del mio lavoro.   ....
- La mia squadra ha stravinto il torneo di calcio!   ....

3 Cerca sul dizionario il significato dei seguenti prefissi e suffissi, poi scrivi alcune parole che li contengono.

Prefissi e suffissi	Significato	Parole derivate
-metro	misura	termometro, ...
idro-	....	
foto-	....	
-grafo	....	
aero-	....	
geo-	....	

Per esprimersi meglio

1 Sostituisci il verbo sentire con un sinonimo. Scegli tra:

udire • ascoltare • distinguere • captare

- Tutti (sentivano) .... con attenzione la lezione di storia.
- Il cucciolo (sentì) .... un fruscio minaccioso.
- Si (sentiva) .... da lontano il frastuono dei motori.
- Nessuno riusciva a (sentire) .... le parole dei due avversari.

2 Sostituisci fare con uno dei sinonimi nei riquadri. Usa i numeri come nell'esempio.

✎ 10 **Fare un volo**

☐ Fare le scale	☐ Fare un crimine
☐ Fare un film	☐ Fare uno sport
☐ Fare un tema	☐ Fare una pietanza
☐ Fare un problema	☐ Fare l'orto
☐ Fare la classe quinta	☐ Fare un palazzo
☐ Fare un abito	☐ Fare un'impresa
	☐ Fare un contratto

1. girare
2. frequentare
3. costruire
4. praticare
5. risolvere
6. stipulare
7. svolgere
8. commettere
9. confezionare
10. spiccare
11. salire
12. cucinare
13. compiere
14. coltivare

3 Scegli tre verbi dell'esercizio 2 e con ciascuno scrivi una frase.

- ....
- ....
- ....

4 Completa gli spazi vuoti e trova i sostituti del verbo dare. Poi scrivi sul quaderno una frase con ciascuno dei verbi ottenuti.

Dare una medicina

s_ _ministrare

Dare il posto

c_de_e

Dare una notizia

co_ _ni_ _re

Dare un soprannome

at_ri_ui_e

5 Sostituisci il verbo sciogliere con un sinonimo. Scegli tra:

fondere • stemperare • squagliare • diluire

- Sciogliere il latte e la farina ....
- Sciogliere il burro ....
- Sciogliere il cioccolato ....
- Sciogliere il composto ....

Parole polisemiche e omonimi

MEMO

Parole polisemiche
Hanno più significati.

lettera → elemento grafico
↘ comunicazione
scritta

Omonimi
Parole con la stessa forma, ma diversi valori grammaticali e diverso significato.
- Ho una sciarpa rosa = aggettivo
- Ho colto una rosa = nome

1 Completa ogni coppia di frasi con la stessa parola.

coda • cuore • riso • lingua • squadra

- Mentre masticavo mi sono morso la ....
- Patrizio parla bene la .... inglese perché ha vissuto un anno a Londra.

- Il .... abbonda sulla bocca degli stolti!
- La nonna ha preparato un ottimo .... con i funghi.

- Mi piace molto mangiare il .... del sedano perché è tenero.
- Domani lo zio andrà in ospedale per fare un controllo al ....

- Quella .... di calcio ha conquistato lo scudetto.
- Per tracciare una retta uso la ....

- Al forno oggi c'è una lunga .... di persone.
- Il mio cane ha una .... lunga e morbida.

il CONSIGLIO

Aiutati con il dizionario.

2 Scrivi sul quaderno tre frasi con la parola gomma e tre con la parola verso nei loro diversi usi e significati.

3 Per ogni parola scrivi una frase con ciascuno dei valori grammaticali indicati.

(piatto) → nome: ....
↘ aggettivo: ....

(viola) → nome: ....
↘ aggettivo: ....

(parte) → nome: ....
↘ verbo: ....

(amare) → aggettivo: ....
↘ verbo: ....

RIPASSIAMO

1 Sottolinea le parole che appartengono ai linguaggi settoriali e inseriscile nel settore esatto.

epidermide • rovesci • gatto • braccia • promontorio • felini • cross • fotosintesi
quadro • prezzo • gambo • dribbling • archi e ottoni • allunaggio • scultura lignea
addome • puntura • server • flora • megabyte • dipinto

- Settore scientifico: ....
- Settore medico: ....
- Settore sportivo: ....
- Settore artistico: ....
- Settore informatico: ....

2 Scrivi alcune parole che fanno parte del linguaggio delle materie scolastiche.

✎ Storia: ...era,..

- Matematica: ....
- Geografia: ....

3 Nelle frasi individua la parola usata con significato letterale o figurato e sottolinea:
di rosso, le parole con significato figurato;
di blu le parole con significato letterale.

- L'agente di scorta dimostrò un gran fegato.
- Il mio papà si dovrà operare al cuore.
- Il pugile era forte come un leone.

- Il contadino vuotò il sacco di farina.
- Preferisco il fegato alla veneziana.
- Angelica è la mia amica del cuore.

4 Segna con una ✗ il significato esatto dell'espressione sottolineata.

- Si morse le mani per non aver ascoltato il suggerimento dell'allenatore.

  ☐ Mordere le proprie mani.   ☐ Pentirsi.   ☐ Essere sconfitti.

5 Completa le frasi con la parola straniera adatta. Se necessario, usa il dizionario.

e-mail • cabaret • croissant • break • hostess • toast

- Sono le 10.30; facciamo un ....?
- Ieri sera a teatro ho visto uno spettacolo di ....
- Al mattino faccio colazione con un .... Tu invece preferisci il salato

e prendi un ....
- Mia sorella è una .... di volo.
- Tutte le sere accendo il computer per leggere le ....

6 Per ogni termine scrivi la parola da cui deriva e indica se la derivazione è data da un prefisso, da un suffisso o da entrambi. Segui l'esempio.

Parola	Parola da cui deriva	Aggiunta di prefisso	Aggiunta di suffisso	Aggiunta di entrambi
<u>allattare</u>	latte			X
disinganno				
sporcizia				
agilmente				
allacciato				
ludoteca				
antipanico				
idromassaggio				
cassiere				
impastare				
autodifesa				

7 Scrivi una frase con ciascuno dei seguenti sinonimi di chiudere.

- socchiudere: ....
- serrare: ....
- stringere: ....

8 Completa le frasi con un sinonimo di grande. Scegli tra:

capiente • voluminoso • maestoso • ampio

- La reggia di Versailles appare ....
- La strada si immette su un .... viale.
- Lo zaino che hai comprato è ....
- Quei cuscini sono troppo .... per un divano così piccolo.

9 Cerca sul dizionario i diversi significati di banda e componi una frase con ciascuno.

....
....
....

Il testo narrativo (1)

7 Leggi il brano.

Dramma nel deserto

Fin da bambino, Andrea era appassionato di film ambientati nel deserto.

Quando ne fu annunciata la trasmissione, il titolo, "Dramma nel deserto", lo invogliò subito. La sera si sistemò in poltrona, mise su un tavolinetto a portata di mano due panini imbottiti, una bottiglia di pompelmo, un bicchiere e si preparò a goderselo.

Il film raccontava la storia di quattro esploratori che si inoltravano nel Sahara con una camionetta alla ricerca di un'antica città sepolta dalle sabbie. Senonché, quando erano proprio in mezzo al deserto, la camionetta aveva un guasto irreparabile e per i quattro esploratori l'unica speranza di salvezza era riuscire a raggiungere a piedi l'oasi più vicina, distante ben duecento chilometri. Per giorni camminavano tra le dune ardenti, sotto un sole <u>implacabile</u>, ed esaurita la provvista dell'acqua iniziava il terribile tormento della sete. Il film era veramente emozionante, da lasciare senza fiato. In quell'inferno infuocato i quattro proseguivano la loro marcia disperata verso l'oasi, che distava ancora novanta chilometri, finché stremato dalla sete, dal caldo e dalla fatica, uno cadeva a terra morto. I tre superstiti, con la gola arsa e la pelle bruciata dal sole, proseguivano, ma poco dopo ne moriva un altro, poi un altro ancora e l'unico superstite, ormai sfinito, continuava ad <u>arrancare</u> per raggiungere l'oasi che distava ancora sessanta chilometri.

A vedere quel poveretto che, bruciato dal sole e quasi impazzito per la sete, si trascinava sulla sabbia arroventata, Andrea si sentì la bocca secca e gli venne un gran bisogno di bere. Senza staccare gli occhi dal video, prese la bottiglia di pompelmo e se ne versò un bicchiere. Ma proprio in quel momento l'esploratore, che arrancava disperato sulle sabbie ardenti, si voltò e lo vide. Subito nei suoi occhi si accese un'ormai insperata possibilità di salvezza e, saltato fuori del video, gli strappò dalla mano il bicchiere e lo tranguggiò avidamente. Poi afferrò la bottiglia di pompelmo e, dopo essersela scolata a garganella:

– Scusi – chiese – dov'è la cucina?

<u>Inebetito</u>, Andrea accennò dov'era. Quello vi si precipitò e poco dopo ricomparve con una bracciata di bottiglie di acqua minerale, birra, Coca-cola. Aveva svuotato il frigo di tutte le bevande.

– Ne ho assolutamente bisogno, – disse – debbo percorrere ancora sessanta chilometri, forse ora ce la faccio – e saltato di nuovo nel video riprese la marcia tra le ardenti dune del deserto.

Quel film, Andrea non lo dimenticò mai, e non solo perché era bellissimo.

Marcello Argilli, *Una storia al giorno. Fiabe per un anno*, De Agostini

PAROLE NUOVE

Implacabile vuol dire che non dà tregua.

Arrancare significa camminare, muoversi con fatica.

Si dice inebetita una persona che viene colta di sorpresa e resta smarrita, intontita.

2 Vero (V) o falso (F)? Scegli con una X.

	Vero	Falso
La camionetta degli esploratori si guasta in mezzo al deserto.		
I quattro esploratori avvistano un'oasi vicina.		
Dopo giorni di cammino, gli esploratori esauriscono le scorte d'acqua.		
A un certo punto gli esploratori perdono l'orientamento.		
Uno dopo l'altro, tre esploratori muoiono di sete.		

3 Il primo esploratore muore quando la distanza dall'oasi è

- [ ] 90 chilometri.
- [ ] 60 chilometri.
- [ ] 200 km.

4 "Disperato sulle sabbie ardenti, si voltò e lo vide". "Lo" si riferisce

- [ ] al bicchiere.
- [ ] ad Andrea.

5 "A garganella" e "trangugiare" sono termini riferiti al modo di

- [ ] mangiare.
- [ ] bere.
- [ ] correre.

6 Il frigo viene svuotato di tutte le bevande

- [ ] da Andrea.
- [ ] dall'esploratore superstite.

7 Andrea è inebetito perché

- [ ] ha assistito alla morte dei tre esploratori.
- [ ] non sa come aiutare il quarto esploratore.
- [ ] si trova davanti l'esploratore in carne e ossa.
- [ ] è ormai convinto che anche il quarto esploratore morirà.

8 Il quarto esploratore quasi sicuramente si salverà perché

- [ ] ha molta resistenza e agilità.
- [ ] è riuscito a procurarsi molte bevande.
- [ ] è ormai vicinissimo all'oasi.
- [ ] conosce i pericoli del deserto.

Il testo narrativo (2)

1 Leggi il testo.

Incontro con l'alieno

Elliott si è appostato di fronte al capanno, su una sedia a sdraio, per aspettare il ritorno del piccolo alieno. Ma nel calduccio del suo sacco a pelo, il bambino si è ben presto addormentato…

Elliott si svegliò di soprassalto allo scricchiolio dei passi che attraversavano l'orto. Ed ecco comparire l'alieno: si stava avvicinando al capanno. Senza muovere un muscolo, Elliott ne seguì i movimenti. Poi si mise a sedere e cercò di chiamare sua madre, ma dalla gola non gli uscì neanche un suono.

L'alieno si allontanò dal capanno e lentamente marciò verso di lui. Una volta che l'ebbe raggiunto, protese una mano dalle dita incredibilmente lunghe e lasciò cadere sul sacco a pelo una variopinta manciata di caramelle. Con un sorriso di sollievo, Elliott ne raccolse una e se la mise in bocca. Poi ne offrì un'altra all'alieno, che accettò il regalo e cominciò a masticarlo, gli occhi fissi su di lui. Allora Elliott si alzò dalla sedia a sdraio e si avviò verso casa, lasciando dietro di sé una nuova scia di caramelle. L'alieno lo seguì, chinandosi passo dopo passo a raccoglierle e mettersele in bocca: sempre dietro di lui, anche quando attraversò la cucina, salì le scale ed entrò nella stanza. Elliott si chiuse la porta alle spalle e tirò un profondo sospiro. Erano riusciti ad entrare senza svegliare nessuno.

L'alieno scrutava i poster alla parete e il <u>guazzabuglio</u> di oggetti sulla scrivania. Poi allungò le dita per esaminare un barattolo di penne, ma gli sfuggì di mano e lo fece cadere a terra.

Elliott sussultò al rumore, già aspettandosi la voce di sua madre o addirittura un toc toc alla porta, ma non accadde nulla. Per maggior sicurezza, non si sa mai, afferrò una coperta e la gettò sull'ospite. Dopo un minuto, scostò la coperta per liberargli la testa. L'alieno lo fissava pazientemente: Elliott si portò un dito alle labbra e fece un lieve "Ssshhh". L'alieno ripeté il gesto, portandosi alla bocca un lunghissimo dito. Divertito Elliott si stropicciò l'orecchio e fu immediatamente imitato dall'alieno. Poi alzò la mano sinistra tenendo le dita aperte, l'alieno fece lo stesso, allargando le quattro dita. Elliott chiuse la mano, un dito per volta, finché ne rimase solo uno, e l'alieno lo imitò puntualmente. Si scambiarono piccoli gesti di saluto. Elliott era affascinato, ma al tempo stesso si sentiva esausto. Cominciò a sbadigliare e arretrò lentamente, accasciandosi su una poltroncina. L'alieno <u>scimmiottò</u> l'operazione, chiudendo gli occhi e trovandosi un posto dove sedersi. Si guardarono stancamente per un po' e poi caddero in un sonno profondo e pacifico.

Terry Collins, *E.T. l'extraterrestre. La storia*, Mondadori

2 Come definiresti l'incontro tra il bambino e l'alieno?

☐ Improvviso ma tranquillo.　　　　　　　☐ Atteso e carico di tensione.

☐ Previsto perciò tranquillo.

3 Nel testo appaiono le seguenti azioni: scrutare, esaminare, fissare pazientemente.
A chi si riferiscono?

....

4 Di che cosa ha paura Elliott?

☐ Di non riuscire a comunicare con l'alieno.　　☐ Che l'alieno distrugga le sue cose.

☐ Che i genitori scoprano il suo segreto.　　　☐ Dello strano aspetto dell'alieno.

5 Leggi le seguenti parole e per ciascuna scegli il significato corretto
tra i due proposti.

- Esausto:　　　☐ meravigliato.　　　　　☐ molto stanco, privo di energia.

- Accasciarsi:　　☐ accomodarsi.　　　　　☐ crollare.

6 Vero (V) o falso (F)? Scegli con una X.

	Vero	Falso
Quando Elliott vede arrivare l'alieno, inizialmente vuole chiamare sua madre.		
Quando Elliott vede arrivare l'alieno è felice e tranquillo.		
Elliott si tranquillizza grazie alle caramelle.		
I due entrano in casa cercando di non far rumore.		
Elliott si diverte a imitare i gesti dell'alieno.		
L'alieno imita i gesti di Elliott.		

7 L'autore come considera l'alieno?

☐ Buono ma poco intelligente.　　☐ Buono e intelligente.　　☐ Poco paziente e sbadato.

8 Qual è, secondo te, il messaggio di questo testo?

☐ Possiamo comunicare anche se siamo　　☐ La diversità impedisce la comunicazione.
　completamente diversi.　　　　　　　　☐ Anche gli alieni sono golosi di caramelle.

83

Il testo informativo

1 Leggi il testo.

A scuola nell'antica Roma

A Roma i bambini poveri non vanno a scuola, mentre quelli dei patrizi ricevono una solida educazione almeno fino a 14 anni.

Dalla più tenera età i figli dei patrizi vengono affidati prima a una nutrice, poi a uno schiavo (spesso reclutato in Grecia) chiamato pedagogo: a questi spetta il compito di insegnare lingua e fondamenti della civiltà greca.

Dall'età di sette anni i bambini vanno a scuola. Le lezioni si svolgono al mattino, in una stanza comune per tutti, oppure all'aperto, all'ombra di un porticato.

Il maestro, chiamato *magister*, insegna a contare e a leggere decifrando i rotoli di papiro, i libri dell'epoca. Gli allievi scrivono incidendo con gli stiletti le loro tavolette di cera.

Quando la scuola resta chiusa (per cinque giorni in marzo e durante tutta l'estate) i bambini hanno modo di dimenticare il maestro e i suoi colpi di sferza e di ferula.

I giocattoli più diffusi sono il cerchio, gli aliossi (ossicini usati come dadi), le bambole. E poi ci sono le gare dei carretti trainati dagli animali: piccioni, oche, topolini...

Dopo i dodici anni le ragazze non vanno più a scuola. I maschi, invece, seguono le lezioni del *gramaticus*, che insegna la letteratura latina e greca.

I quindicenni sono affidati al retore, che li educa all'eloquenza, ovvero all'arte del parlare bene, per prepararli alla professione di avvocato o di funzionario.

trad. di Giampaolo Mauro, *La civiltà di Roma*, Mondadori

2 Vero (V) o falso (F)? Scegli con una X.

	Vero	Falso
Nell'antica Roma tutti i bambini vanno a scuola.		
Solo i figli dei ricchi vanno a scuola.		
Le femmine devono lasciare la scuola a 12 anni.		
Il retore e il *gramaticus* insegnano solo ai maschi.		
I bambini non giocano con i dadi.		
È importante che i ragazzi imparino a parlare bene.		

3 Cosa insegna il *magister*?

☐ A contare e a leggere.   ☐ La letteratura.   ☐ L'eloquenza.

4 Gli allievi scrivono su

☐ fogli di papiro.   ☐ tavolette di cera.

5 I maestri sono

☐ molto pazienti.   ☐ molto severi.   ☐ il testo non lo dice.

6 La sferza e la ferula sono

☐ tavolette per scrivere.   ☐ stiletti per incidere.
☐ oggetti per giocare.   ☐ oggetti per picchiare.

7 "... all'eloquenza, ovvero all'arte del parlare bene".
"Ovvero" può essere sostituito da

☐ quindi.   ☐ cioè.
☐ oppure.   ☐ ma.

8 In quale ordine compaiono gli educatori nella vita scolastica
di un bambino romano? Numera da 1 a 4.

☐ *Gramaticus*.   ☐ *Magister*.   ☐ Pedagogo.   ☐ Retore.

Il testo descrittivo

1 Leggi il testo.

Alessia

Alessia ha tredici mesi. È tonda, soda, colorita, provvista di due gambe corte e solidissime; ha gli occhi azzurri vivaci ed è quasi pelata. Frequenta un nido da quando aveva pochi mesi e arriva ogni mattina felice, strappandosi di dosso il cappotto per la frenetica voglia di entrare. È traboccante di energie e di vitalità. Di umore sempre allegro, <u>ridanciano</u>, attiva, curiosissima, rumorosa, vivacissima. Ha imparato a camminare a dieci mesi, ora procede a gran velocità e cade spesso, anche con esiti rovinosi dei quali però non si lamenta mai. Si rialza e riparte, sempre pronta a nuove avventure, sempre pronta a cacciarsi nei guai, vagabondando, esplorando, infilandosi in situazioni spericolate. Sale e scende le scale velocemente con un minimo di appoggio, si arrampica su ringhiere, muretti, sedie, panchine e sulle gambe di chiunque le dimostri simpatia. È sempre indaffaratissima, concentrata in quello che fa e, finché è assorbita dall'interesse del momento, del tutto incurante di quello che le succede intorno. Trascina pesi e volumi più grossi di lei, diventa <u>paonazza</u> per lo sforzo di fare tutto da sola, ma rifiuta di essere aiutata. Mangia da sola e se qualcuno tenta di aiutarla lancia urla selvagge. Non è aggressiva con gli altri bambini che ama e ricerca molto, soprattutto quelli più grandi di lei.

Elena Gianini Belotti, *Dalla parte delle bambine*, Feltrinelli

PAROLE NUOVE

Ridanciano significa molto allegro, disposto al riso.

Diventare paonazzo vuol dire diventare rosso, di solito in seguito a uno sforzo o per una situazione imbarazzante.

2 Perché Alessia si strappa il cappotto di dosso?

☐ Perché è arrabbiata.   ☐ Perché le fa molto caldo.   ☐ Perché è impaziente di giocare.

3 Scegli con una X le caratteristiche di Alessia.

☐ Allegra.   ☐ Molto vivace.   ☐ Prudente, scansa i pericoli.   ☐ Aggressiva.
☐ Calma.   ☐ Autonoma.   ☐ In continuo movimento.   ☐ Triste.

4 Quando cade, che cosa fa Alessia?

☐ Lancia urla.   ☐ Fa finta di niente.   ☐ Chiede aiuto.

5 Alessia diventa rossa quando

☐ si arrabbia.
☐ si affatica.
☐ si vergogna.

6 "Incurante" significa (è sinonimo di):

☐ indifferente.
☐ attenta.
☐ preoccupata.

Descrizioni di fenomeni atmosferici

1 **Leggi le descrizioni. Poi completa o rispondi.**

La brina penetra ovunque e tutto riveste con un magico velo.
Le piante hanno rimesso la chioma, ma quella chioma è canuta: i fiori e le foglie sono di cristallo.

Ardengo Soffici

il CONSIGLIO

Usa il dizionario se non conosci il significato di alcune parole.

- La brina viene paragonata a ....
- I fiori e le foglie vengono paragonati al ....
- La parola "canuta" significa: ☐ bianca. ☐ scura.

Gli uccelli furono i primi ad accorgersene: cominciarono a vorticare nell'aria, come impazziti. Poi il cielo si oscurò improvvisamente. Si alzò un vento furioso da nord-est, che sradicò e trascinò per terra alberi secolari.
E finalmente venne la pioggia, con i tuoni e i lampi, quasi un torrente d'acqua gelata, che inondò le strade scivolando veloce verso valle.
Poi di colpo, come era arrivata, la tempesta finì. Tornò il sole, con un venticello fresco e leggero e un profumo di erba bagnata che metteva allegria. C'era una luce splendente sulla pietra lavata delle case e sulle montagne attorno; tutto pareva nitido e vicino.

Paola Balzarro

- In quale ordine si manifestano i fenomeni che vengono descritti?
  Numera da 1 a 4.
  ☐ pioggia. ☐ vento forte. ☐ venticello fresco. ☐ sole.

- "Vorticare" significa
  ☐ precipitare. ☐ volare velocemente girando su se stessi.
  ☐ gridare.

- A che cosa viene paragonata la pioggia?

  ....

- Che cosa "metteva allegria"?
  ☐ Il sole. ☐ Il profumo dell'erba bagnata.
  ☐ Il venticello fresco.

- Gli aggettivi "fresco e leggero" si riferiscono al
  ☐ venticello. ☐ profumo.

Ampliare un racconto

1 Leggi l'inizio e il finale di questo racconto. Poi scrivi tu la parte
centrale: segui la traccia e aiutati con le domande e le indicazioni
in rosso.

Avventura sull'isola: un incontro inaspettato

Fuori era bello e faceva caldo. Papà aveva gettato l'ancora accanto a un'isola
piccola e carina, con un monte mezzo ricoperto dal verde mantello della foresta e spiagge di sabbia bianca tutt'intorno. Era così bello che ho lanciato un
grido di gioia.

– È un'isola deserta? – ho chiesto alla mamma.

– Credo di sì – mi ha risposto.

Un'isola tutta per me.

Mamma e papà si sono messi a riparare la barca e io ho cominciato a camminare verso la foresta. Ai piedi della montagna c'era una radura con così tanti
fiori che avevo paura di schiacciarli, una sorgente d'acqua pura sgorgava con
un suono di flauto, uccelli dai mille colori volavano e io li ho seguiti.

Mentre camminavo, mi guardavo intorno:...

• Che cosa vedi intorno a te?
  Continua la descrizione dell'isola.

....

....

....

....

il CONSIGLIO

Utilizza similitudini
e modi di dire per
rendere più vivace
la tua narrazione.

A un certo punto...

• Descrivi il personaggio o i personaggi che incontri.

....

....

....

....

Io mi sentivo...

• Qual è il tuo stato d'animo iniziale? Cosa pensi?
  Provi stupore? O spavento?

....

....

....

....

Allora io...

- Che cosa accade? Pronunci delle parole? Quali?
  Fai dei gesti particolari?

....

....

....

....

Alla fine...

- Come si conclude la vicenda?

....

....

....

Penso che...

- Rifletti sulla vicenda. È stata una bella esperienza?
  Ti dispiace che l'avventura sia finita?

....

....

....

....

Ho raccontato questa storia, ma nessuno mi ha creduto, perché per tutti l'isola è disabitata.

Jean Guilloré, *Perduta su Mayabora*, Zanfi Editore

Scrivere un testo argomentativo

> Nel testo argomentativo viene proposto un argomento (tema), sul quale viene espressa un'opinione (tesi) e a volte anche l'idea contraria (antitesi). Tesi e antitesi sono sostenute con motivazioni convincenti (argomentazioni).

1 Leggi il testo.

Quale scuola media?

A giugno, alla fine della scuola, ho salutato i miei compagni e ci siamo augurati a vicenda di trascorrere una bellissima estate. Ero contenta perché quasi tutti, a settembre, andremo nella stessa scuola media anche se, probabilmente, non ci troveremo insieme nella stessa classe. Sandra, invece, è l'unica che non è riuscita a convincere i suoi genitori. La mamma e il papà hanno deciso di mandarla nella scuola media più vicina a casa loro, senza tener conto delle richieste e dei desideri della figlia.

– Allora, i tuoi genitori non vogliono accontentarti? – le ho chiesto.

– Sembra proprio di no.

– E se chiedessimo alla maestra Francesca di inventare un motivo qualsiasi per costringerli a cambiare idea?

– La maestra non direbbe mai una bugia! – mi ha risposto stupita Sandra. – E poi i miei genitori spiegherebbero che ci sono dei motivi familiari.

– Chissà perché, quando si parla di famiglia, i figli non c'entrano mai! – ho detto con una certa rabbia.

Avevo una gran voglia di andare a casa di Sandra e di urlare in faccia ai suoi genitori che non era giusto.

- Qual è il tema di questo testo argomentativo?

....

2 Rispondi sul quaderno.

- Di che cosa Sandra non è riuscita a convincere i genitori?

- Che cosa propone l'amica di Sandra per far cambiare idea ai genitori?

- Sandra non è d'accordo con questa proposta. Perché?

- Secondo te, che cosa vuol dire l'amica di Sandra con la frase: "Chissà perché, quando si parla di famiglia, i figli non c'entrano mai!"?

3 Immagina di essere Sandra e di discutere con i tuoi genitori per convincerli a mandarti nella scuola media che frequenteranno tutti i tuoi compagni di classe.

> **Tesi**

- Sostieni la tesi con una prima argomentazione adatta.

....

....

- Sostieni la tesi con una seconda argomentazione adatta.

....

....

- Concludi in modo adeguato.

....

....

....

4 Immagina di essere la mamma o il papà di Sandra e discuti con Sandra per convincerla della tua decisione.

> **Antitesi**

- Sostieni l'antitesi con una prima argomentazione adatta.

....

....

- Sostieni l'antitesi con una seconda argomentazione adatta.

....

....

- Concludi in modo adeguato.

....

....

....

Descrivere una situazione

1 Immagina di trovarti nella sala d'attesa del medico o del dentista insieme ad altre persone. Descrivi la situazione in cui ti trovi e metti in evidenza i comportamenti e gli stati d'animo tuoi e delle persone che ti circondano.
Segui la traccia suggerita dalle domande:

- Dove ti trovi? Com'è l'ambiente intorno a te?
- Chi ti ha accompagnato?
- Che cosa fai tu mentre aspetti il tuo turno?
- Quali sono i tuoi pensieri? E i tuoi stati d'animo?
- Quali altre persone si trovano nella sala d'attesa?
- Che cosa fanno gli altri mentre aspettano il loro turno?
- Riesci a indovinare gli stati d'animo degli altri? Da che cosa puoi capirli?

✎ È il pomeriggio di... E io mi trovo...

....
....
....
....
....
....
....
....
....
....
....
....
....
....
....
....
....
....
....
....
....
....

il CONSIGLIO

Ecco alcune similitudini, modi di dire ed espressioni che puoi utilizzare per descrivere gli stati d'animo dei personaggi.

Agitato come il mare in burrasca.

Non vedere l'ora.

Avere lo sguardo perso nel vuoto.

Tamburellare con le dita sulle ginocchia.

Avere la fronte imperlata di sudore.

Essere teso come una corda.

Realizzare un volantino

1 Immagina di organizzare con i tuoi compagni di classe un mercatino
per raccogliere i fondi per comprare una nuova LIM.
Realizza un volantino da appendere all'ingresso della scuola e da stampare
sul giornalino scolastico per invitare genitori e amici a partecipare.
Segui le indicazioni e gli esempi.

1 Pensa a un'**immagine efficace**, che attiri
l'attenzione e faccia riflettere sullo scopo
dell'iniziativa.

2 Inventa uno **slogan**, una frase a effetto.
Puoi utilizzare anche la rima.

Un mercatino eccezionale
per una lavagna multimediale!

3 Spiega con poche parole lo **scopo**
e le **modalità** dell'iniziativa.

Il giorno...
È possibile partecipare...
Il ricavato sarà utilizzato...

4 Infine realizza il tuo volantino
e disegnalo nello spazio qui accanto:
- decidi dove collocare le immagini
e le scritte;
- se vuoi, puoi scegliere colori
e caratteri particolari per dare risalto
ad alcune parole.

93

Punti di vista

1 Leggi il racconto: il punto di vista è quello di un cane.

Chi li capisce questi umani?

Il mio primo ricordo è una stanza in città piccola e buia dove vivevo con tanti cani più grandi e prepotenti. Procurarmi un po' di cibo era un'impresa difficile.

Un giorno fui prelevato da un signore e una signora, che mi guardavano e dicevano: – È molto magro ma carino! Lo chiameremo Miró, come il nostro pittore preferito. Mi ritrovai in una bella casa in campagna con un prato molto grande, dove finalmente potevo correre liberamente e rotolarmi sull'erba fresca.

Tutti mi ritenevano un cane speciale perché ero piccolo ma riuscivo da solo ad aprire tutte le porte: dicevano che ero intelligente e io ne ero orgoglioso.

I miei padroni mi accarezzavano, mi tenevano sul divano e mi offrivano dei cibi gustosissimi, che mangiavo con grande voracità. Ben presto diventai piuttosto grassoccio e mi faceva fatica uscire a correre in giardino. Così i padroni iniziarono a darmi uno strano cibo, che dovevo rosicchiare e che non aveva per niente il gusto della buona carne. Durante quel periodo avevo sempre fame.

Una mattina aprii la porta della cucina e vidi sul tavolo tanta carne ben sistemata su un piatto grande e fiorito, e pensai: – I miei padroni hanno finalmente capito che cosa mi piace!

Mentre stavo mangiando quella delizia arrivò la padrona, che cominciò a urlare e farmi segno di uscire dalla cucina. Io non capisco, ma per chi altri poteva essere quella carne gustosa, se non per me?

2 Riscrivi il racconto dal punto di vista del padrone o della padrona del cane. Tieni conto del titolo e dell'inizio proposti.

Un cane intelligente ma non troppo!

Un giorno abbiamo ricevuto una telefonata da un'amica: – So che da tempo desiderate prendere un cucciolo. Nel canile del comune...

....

....

....

....

....

....

....

....

Dalle parole-chiave alla sintesi

MEMO

Per sintetizzare un testo espositivo si possono sottolineare le parole-chiave e con queste costruire brevi frasi. Poi si collegano le frasi e si ottiene un nuovo testo che è la sintesi del primo.

1 Leggi il testo. Poi utilizza le parole-chiave evidenziate per scrivere a fianco di ciascuna sequenza una breve frase che la sintetizzi.

La storia della posta

In tempi lontani per recapitare i messaggi si utilizzavano appositi corrieri che andavano a cavallo. Questi, per essere più veloci, cambiavano spesso i cavalli alle stazioni di posta, che erano i luoghi in cui ci si fermava a fare i cambi. Da qui nacque il nome "posta" dato alla corrispondenza.

Nell'antichità, però, era complicato portare a destinazione una lettera. Pensate agli Assiri e ai Babilonesi, che scrivevano su tavolette d'argilla. Se durante il viaggio le tavolette cadevano, andavano in pezzi e addio messaggio! Tutto divenne più facile quando si cominciò a scrivere su papiri e pergamene, che erano leggeri e poco ingombranti.

Nel Medioevo non esisteva un regolare servizio di recapito della corrispondenza. Una lettera a una persona lontana si scriveva in più copie, ciascuna delle quali veniva affidata a un viaggiatore diverso, con la speranza che almeno una giungesse a destinazione.

Le cose cambiarono quando cominciarono a esserci i primi servizi di trasporto pubblico, con carrozze e cavalli. A questi venivano affidati anche lettere e pacchi.

E chi pagava? Fino a 150 anni fa il servizio era pagato da chi riceveva la lettera. E se il destinatario non voleva riceverla? Il postino aveva fatto il viaggio per niente. Si decise allora di far pagare chi spediva la lettera e si inventò il francobollo, da incollare sulla busta a riprova del pagamento.

Giuseppe Zanini, Anna Casalis, *Tante domande, tante risposte*, Dami editore

2 Sul quaderno collega le frasi che hai scritto in modo da ottenere la sintesi del testo.

95

Prendere appunti e schematizzare

MEMO

> **Prendere appunti** da un testo significa sottolineare le parole-chiave in modo da ricordare i principali concetti espressi. Può essere utile organizzare gli appunti in schemi che aiutano a esporre o sintetizzare per scritto il contenuto del brano.

1 Leggi il testo e sottolinea le parole-chiave.

Il popolo dei ghiacci

Gli abitanti della Groenlandia sono gli Inuit, che venivano chiamati anche Eschimesi. Dapprima nomadi, gli Eschimesi si sono stabiliti in piccoli villaggi dalle case colorate. Fuori la temperatura può scendere fino a 50 gradi sotto lo zero. In casa però si sta bene. Vicino alla stufa, che serve anche per cucinare, le donne conciano le pelli e gli uomini fabbricano arpioni. Si nutrono di carne di foca o di caribù, di pesci essiccati, di grasso di foca, di riso. Per ottenere l'acqua, fanno fondere il ghiaccio dentro a un secchio.

I cani eschimesi portano il padrone a caccia sulla banchisa. Il cacciatore salta dietro e grida: "illi-illi" per far andare i cani a destra; "kaka" per farli andare a sinistra. Quando i cacciatori sono troppo lontani per poter ritornare al villaggio, allora costruiscono un igloo. Servirà da riparo durante la notte. Con l'aiuto di una sega, ritagliano grandi blocchi di ghiaccio. I blocchi vengono sovrapposti a spirale, come il guscio di una chiocciola. L'igloo è molto luminoso all'interno. La neve gelata, traslucida, lascia filtrare la luce del giorno. Indurendosi diventa un vero e proprio muro che non fa passare né il freddo né il vento.

Emanuela Nava, *Bambini del mondo*, Edizioni EL

2 A partire dalle parole chiave, completa lo schema di sintesi sugli Inuit. Poi utilizzalo per fare sul quaderno la sintesi scritta.

Chi sono e dove vivono	Le attività che svolgono
....	....
....	....
....	....

L'alimentazione	La caccia	Gli igloo
....	....	....
....	....	....
....	....	....
....	....	....